EL BARCO  DE VAPOR

La hija del Espantapájaros

María Gripe

Premio Hans Christian Andersen 1974

 Joaquín Turina 39 28044 Madrid

Colección dirigida por **Marinella Terzi**

Primera edición: mayo 1980
Vigésimo séptima edición: noviembre 1998

Traducción: *Carmen Vázquez Vigo*
Ilustración de cubierta: *Alfonso Ruano*

Título original: *Pappa Pellerins Dotter*
© María Gripe, 1963
© Ediciones SM, 1980
  Joaquín Turina, 39 - 28044 Madrid

Comercializa: CESMA, SA - Aguacate, 43 - 28044 Madrid

ISBN: 84-348-0819-6
Depósito legal: M-33319-1998
Fotocomposición: Secomp
Impreso en España/Printed in Spain
Imprenta SM - Joaquín Turina, 39 - 28044 Madrid

1

LOS dedos de Loella estaban rojos de frío. A cada rato tenía que dejar la cesta en el suelo para frotárselos y calentarlos un poco.

No era fácil descubrir las setas entre tantas hojas. Y más, ahora que estaba terminando el otoño y apenas si quedaban. Aunque rebuscó obstinadamente, encontró sólo un puñado.

Se iba haciendo de noche y las sombras crecían, cada vez más oscuras, entre los árboles. Era un paisaje triste. Las hojas ya no brillaban como antes y no eran ni amarillas. Se estaban volviendo marrones.

La lluvia caía lenta y pesadamente. Noviembre.

Se incorporó ciñéndose la chaqueta para abrigarse mejor. En el fondo de la cesta había sólo unas pocas setas empapadas. No eran suficientes y aguzó la vista buscando más. Tal vez... algo más allá...

No, eran piedras húmedas. Pero allí... sí, allí había setas. No muchas, pero algo es algo. Ahora tenía que recoger leña para el fuego.

Se estaba haciendo de noche muy de prisa. Y la lluvia seguía cayendo.

Su pelo chorreaba. Se lo apartó de la cara con un movimiento impaciente. Le caía sobre los ojos cada vez que se inclinaba. Lo tenía muy largo, espeso y negro. Y era cierto, como decían, que se enroscaba como serpientes sobre su espalda.

Oh, sí... Sabía perfectamente lo que decía de ella la gente del pueblo. Pero no la molestaba. Que gritaran ¡*Malos Pelos!* a su paso, si les apatecía. Nadie conseguiría hacerla enfadar.

Después de todo, *Malos Pelos* no era un apodo estúpido. Sonaba a algo peligroso, que daba miedo, y eso le gustaba. No le preocupaba en absoluto que los demás no quisieran nada con ella. Mejor, así los mantenía a distancia.

Ella tampoco los podía aguantar. En algo, al menos, estaban de acuerdo. No eran más que una banda de viejos locos y santurrones, lo sabía perfectamente.

Y tampoco ignoraba que su carácter era terrible. ¡Pero qué remedio! No conviene ser demasiado blanda cuando una vive sola en el bosque con dos hermanitos que cuidar. Su carácter fuerte le ayudaba a combatir las penas y las dificultades. De repente despedía fuego y azufre... y así ahuyentaba las calamidades. Luego todo marchaba bien de nuevo.

Ese día, especialmente, una buena tormenta se preparaba en su interior. Sus ojos echaban chispas y tenía el ceño fruncido. Con una especie de furia lunática recogía ramas secas del suelo y las iba echando en un montón.

Después se detuvo un momento para remangarse la chaqueta: Era de su madre, de color verde, y a Loella le quedaba tan grande como un abrigo.

Miró desafiante a la oscuridad, entre los abetos. La lluvia trazaba líneas paralelas en el aire.

«El primero de noviembre», dijo de repente en voz alta. Arrugó aún más el ceño y sus ojos se pusieron tan negros como dos motas de hollín. Mamá había dicho octubre. Había prometido volver para octubre, a más tardar, seguro...

Su cólera estalló. Llevaba un collar largo, de cuentas rojas, que su madre le había dado. Se lo arrancó de un tirón y con él azotó el aire produciendo un sonido silbante.

—¡Es una vergüenza! ¡Un engaño! —gritó dando una furiosa patada al montón de leña. Sus ojos centelleaban.

—¡Estas cosas tan feas no se hacen...!

Pronto se calmó. Un momento antes estaba pálida y helada. Ahora sus mejillas se habían puesto encarnadas, sentía calor en todo el cuerpo y rebosaba energía, como si una pequeña máquina hubiera recargado sus baterías.

Se frotó la nariz enérgicamente con la manga del jersey y farfulló, dirigiéndose a sí misma con tono de reprimenda:

—¡Luz negra, flor venenosa, nido de culebras...! ¡Castigo para Loella por hablar así! ¡Castigo!

Luna negra, flor venenosa, nido de culebras: eran las palabras misteriosas que usaba siempre que las cosas iban mal. Las cambiaba, las entrelazaba como una especie de fórmula mágica para conjurar la mala suerte.

Cuando estaba contenta usaba otras distintas: «Luna blanca, flor perfumada, nido de pájaros...» Eran su manera de decir «gracias» a los poderes benéficos y un ruego para que no la olvidaran. Pero hacía mucho tiempo que no las usaba. Se sentía abandonada porque su madre nunca volvía y ni siquiera escribía. Era terrible pensar que estaba en alta mar, en medio de las tormentas del otoño y la oscuridad del invierno. Podía pasarle alguna desgracia. Siempre estaba preocupada por mamá.

Era casi un alivio convertir su inquietud en rabia, como acababa de hacer. Se liberaba de ella, al menos por un rato.

Volvió a ponerse el reluciente collar. ¡Quedaba tan bonito sobre el jersey verde! Era un collar precioso. Podía decir que sus cuentas eran de coral auténtico, según le explicó mamá en una carta, porque tenían exactamente el mismo color, aunque en realidad eran de plástico. Pero a ella ne le importaba que fueran o no de coral. ¿Qué más daba?

Debía darse prisa. Ató las ramas con una cuerda, se las echó a la espalda y cogió la cesta con las setas. Entonces empezó a andar rápidamente. Era casi de noche y la lluvia no dejaba de caer.

Ya podía ver la cabaña, allá en el claro, pequeña, gris, agrietada.

Se quedó paralizada en su sitio, con el corazón en la garganta. ¿Qué pasaba?

Había luz en la ventana. ¿Quién sería? Estaba segura de no haber dejado ninguna luz encendida al salir. Ni la lámpara de aceite ni el fuego. Sus hermanitos dormían.

Sintió un estremecimiento de angustia. Echó a andar de nuevo a toda velocidad. Los había dejado solos demasiado tiempo.

¿Pero quién habría encendido la luz?

La llave estaba en la cerradura y ella solía dejarla en una rendija, sobre la puerta. Alguien había estado allí.

Tiró el atado de ramas al suelo y abrió la puerta.

—¡Oh, tía Adina! ¡Eres tú!

—¿Y quién querías que fuera, pequeña?

—No sé... Como dijiste que no podrías venir hasta el sábado porque esperabas visitas... ¿No han ido?

Loella paseó la mirada por la habitación y sus ojos brillaron. Un buen fuego chisporroteaba en la cocina y la lámpara estaba encendida. Olía muy bien.

—Tortitas —dijo, husmeando el aire.

—Sí, llegas a punto. No, por fin mis amigos no fueron a verme. Telefonearon diciendo que con esta lluvia preferían no salir. Y pensé que lo mejor que podía hacer era pasar un rato con mis pequeños.

Y tía Adina se sentó en el sofá para darles sus tortitas a Rudolph y a Conrad.

TIA Adina vivía con su marido, David, en una casa pequeña cerca del lago. David Pettersson era un anciano poco hablador. En eso no se parecía a su mujer, desde luego. Se ganaba la vida ayudando a los granjeros del pueblo en el campo, durante el verano, y en el bosque, cuando llegaba el invierno. Un trabajo pesado que le proporcionaba lo suficiente para vivir, teniendo en cuenta que sólo eran él y su mujer.

Tía Adina y Loella no siempre se habían llevado bien. Ni mucho menos. Aún recordaban el día en que Loella soltó un ratón en la capilla, justo en medio de una ceremonia de boda. Adina se puso furiosa, y rápida como el rayo la echó fuera a escobazos.

Por entonces Adina perdió el reloj de su padre en el bosque. Loella lo encontró y fue corriendo a llevárselo, toda sonrisas y amabilidad. Desde ese día se hicieron grandes amigas. Tía Adina siempre llevaba cestas llenas de comida a la cabaña, cosía y remendaba la ropa de los niños; pero la gente no paraba de comentar cómo era posible que Adina Pettersson pudiera llevarse bien con *Malos Pelos*, esa chica tan rara que casi nunca se dejaba ver en el pueblo y no hablaba con nadie.

Rudolph y Conrad abrían la boca golosamente mientras tía Adina les iba dando trozos de tortita. Sus oscuras cabezas rizadas y sus ojos redondos, de un color azul profundo, les daban el aire de pajaritos recién nacidos.

—Ya no hay muchas setas en el bosque —dijo Loella.

—Me imagino. Pero no te preocupes. Tenéis comida para varios días. Sólo necesitas calentarla. Mejor que gastes primero las albóndigas. El jamón, como está curado, se conserva más tiempo. Bueno... como te parezca. El pan que hice ayer lo dejé demasiado en el horno. Y los bollos. Pero están ricos de todos modos. Ya verás.

Loella estaba sentada a la mesa y asintió con la boca llena. Tía Adina continuó hablando.

—¿Has ido al pueblo desde la última vez que nos vimos?

Loella meneó la cabeza.

—Entonces sigues sin noticias de tu madre, supongo.

—Sí.

Tía Adina ayudó a Rudolph a beber de su vasito. Se quedó pensativa.

—Esta mañana fui a correos y pregunté si había alguna carta para ti, pero no había ninguna. Y si tu madre no escribe, será porque está de camino. Es lo que suele pasar.

—Siempre escribe antes de volver.

—Sí, ya sé, pero... estamos casi en noviembre, así que...

Se quedó callada y le limpió la boca a

Conrad. El niño se apoyó en el rollizo brazo de tía Adina y eructó satisfecho.

—No quero comé más... Estó lleno —dijo con su media lengua.

—Lleno... lleno de totitas... —rió Rudolph trepando a las rodillas de Adina. Conrad hizo lo mismo.

—Are caballito... Are caballito... ¡Cántalo!

Tía Adina cantó: *Arre caballito, vamos a Belén, que mañana es fiesta y al otro también.*

Tenía que cantarlo varias veces para que los niños se quedaran conformes. Pero ya se metían los pulgares en la boca y los ojos se les caían de sueño.

La canción de tía Adina tenía una cadencia suave y monótona que nunca cambiaba. Y no es extraño, porque en toda su vida no había cantado más que himnos y nanas.

Se levantó, puso a Rudolph y Conrad en el suelo con mucho cuidado, sacó dos cajones del gran armario y los colocó uno junto a otro. En ellos estaban preparadas dos camitas. Lavó a los niños minuciosamente y los acostó. En seguida se durmieron.

Mientras tanto Loella recogió la mesa y lavó los platos.

En el gran fogón encalado aún ardían unos carbones. Sopló sobre ellos y calentó café para tía Adina.

Luego se sentaron a la mesa, bajo la luz circular de la lámpara. Tía Adina bebió su café a sorbitos lentos, saboreándolo en silencio y con la mirada perdida en un punto lejano. Loella apoyó la cabeza en las manos con expresión soñadora; la misma que tenía siempre después de comer las tortitas de tía Adina.

Tía Adina dejó la taza. En su pequeña y redonda barbilla había un gesto de determinación cuando rompió el silencio.

—Esto no puede seguir así, pequeña —dijo con tono preocupado—. He oído decir que las autoridades de la escuela están dispuestas a dar la batalla otra vez. Cualquier día de éstos aparecerán por aquí.

Loella apretó el puño y golpeó la mesa con súbita furia.

—Deben estar tontos. Sé leer y escribir. Y también sé aritmética, más de lo que esos cabezotas creen.

—Vamos, vamos... —dijo tía Adina suavemente—. Hay que aprender más cosas. Ya tienes doce años.

—Precisamente: soy demasiado mayor para ir a la escuela.

—No, cariño... Cada vez hay más cosas que aprender.

—Bobadas que no sirven para nada.

—No, no... No debes hablar así...

Tía Adina hizo un gesto con la cabeza, preocupada, y su voluminoso moño se balanceó.

—Estoy de acuerdo contigo en que esa gente hace cosas extrañas. Por ejemplo, lo poco que se ocupan de enseñar los salmos. ¡Y no hablemos del catecismo! No sé adónde iremos a parar. En mis tiempos...

—Claro, es lo que yo digo: son unos zoquetes.

Loella descargó su puño sobre la mesa.

—¿Qué quieren? ¿Que nos pasemos la vida en el colegio? ¡Bonito plan!

Tía Adina no contestó. Tenía hilo y aguja en la mano y zurcía unos pantaloncitos. De vez en cuando miraba a Loella por encima de sus gafas. Suspiró y luego dijo gravemente:

—¿Has estudiado los versículos?

Loella asintió con la cabeza.

—A ver...

Loella, obediente, recitó un himno tras otro sin vacilar. Tía Adina dejó su labor y unió las manos, mientras sus labios, devotamente y en silencio, articulaban las archisabidas palabras.

Luego pidió a la niña que repitiera los Diez Mandamientos, lo que ella hizo con la misma seguridad. Tía Adina estaba triunfante.

—Si vienen y te preguntan sobre estas cosas, los dejarás con la boca abierta —dijo, pero añadió suspirando —: Aunque puede que no se preocupen de las Escrituras, porque son un montón de paganos. Tienen otras ideas, por desgracia.

—Sus ideas me importan un comino —dijo Loella— y se van a enterar en seguida.

Tía Adina volvió a suspirar.

—Es fácil decirlo, pero ellos tienen la ley de su parte.

—¿Y qué? Yo te tengo a ti de mi parte. No se van a salir con la suya...

—¿Y qué ayuda puedo ser yo? Una vieja tonta...

—La única persona sensata en todo el mundo. Tendrán que metérselo en la cabeza, quieran o no.

Tía Adina había terminado el remiendo. Dobló con cariño las ropitas y se incorporó, apoyándose pesadamente en la mesa. La lámpara iluminaba sus gruesas y rojas manos, pero su cara quedaba en la sombra. Su voz sonó algo ronca cuando dijo:

—Hazme caso y vente con nosotros la semana próxima, querida... No tengas miedo de David. Mi marido es muy bueno, aunque parezca que se le ha comido la lengua el gato y no tenga tantas ideas como yo.

16

Miró a Loella, que permanecía quieta.

—En el desván hay dos bonitas camas para los niños —continuó suplicante—. Hace mucho tiempo que esos cajones se les han quedado pequeños. Tendréis una habitación para vosotros solos. Será estupendo. Ni te imaginas lo bien que estaremos.

Loella también se puso de pie y se quedó quieta en el círculo de luz de la lámpara. Estaba pálida y sacudió violentamente la cabeza.

—Si mamá viene y no nos encuentra se quedará muerta en el sitio.

Tía Adina no pudo contenerse y refunfuñó:

—Si es que no se ha muerto ya... —pero en seguida añadió en tono más tranquilo—: Quiero decir que ella debe comprender que no podéis seguir viviendo solos aquí. Creo que le gustará mi idea. Además, todos sabrán dónde encontrarte. Se lo dirán en cuanto llegue, no te preocupes. Y ella vendrá a buscaros. Así tú podrías ir a la escuela y nos ahorraríamos muchos disgustos.

Loella miró a la luz y no contestó.

—Ahora tengo que irme, pequeña, antes de que la noche se ponga más oscura que la boca de un lobo... Pero deberías hacer lo que te digo. Piénsalo, al menos por los niños.

Se puso las botas de goma, el abrigo, y, ya

17

a punto de marcharse, en la puerta, dio un rápido abrazo a Loella.

—Piénsalo.

—Sí.

Había dejado de llover, pero soplaba un fuerte viento. Vieron cómo las nubes se perseguían unas a otras sobre una luna inmóvil.

—He puesto en la despensa un poco de mantequilla, un bote de miel y unas cuantas cosas más. Bueno, ya lo verás tú misma... —exclamó tía Adina antes de desaparecer en el viento.

Loella se quedó todavía un momento mirándola, hasta que su silueta se desvaneció como una sombra entre todas las que poblaban el bosque.

Respiró profundamente y elevó la vista al cielo...

Luna, viento, soledad sobre la cabaña; como siempre. Se refugió en el calor de la casa y cerró la puerta. No tenía miedo; pero sí el sentimiento de algo solemne.

Se acercó a la ventana y permaneció allí, de pie. La luna la miraba, secreta, curiosa. Ella también la miró, maravillada. La luz de la luna...

Un búho chilló. Una y otra vez el búho chilló.

18

2

UN viejecito vivía en el bosque, aún más lejos que Loella; se llamaba Fredrik Olsson. Tenía unos noventa años y no le gustaba la gente, o al menos eso se decía. Quizás no fuera tan malo como también se decía; pero lo cierto es que prefería estar solo. Hablar consigo mismo y no con los demás. Es lo que le suele ocurrir a la gente que ha vivido sola siempre.

Cuando se encontraba con alguien, hacía como que no lo veía; y si alguien subía hasta su pequeña cabaña, tenía la habilidad de desaparecer como por arte de magia. Conseguir hablar con Fredrik Olsson era prácticamente imposible.

Y no es que le pasara nada extraño. Al contrario, tenía una salud excelente y era tan ágil como un muchacho de veinte años. Trabajaba en el bosque y todos los días iba al pueblo a comprar el periódico y la leche.

Al mismo tiempo pasaba por el correo para recoger las cartas de Loella, si es que tenía alguna. Era muy servicial, siempre y cuando no tuviera que hablar con nadie.

Por esa razón no llevaba el correo a casa de Loella. Prefería dejárselo a *Papá Pelerín*.

Cerca de la cabaña de Loella había un claro bastante grande cubierto de matas de frambuesas. En verano, sus ramas se cargaban de las frambuesas más gordas y dulces. Para protegerlas —no tanto de los pájaros como de la gente— Loella había plantado un espantapájaros justo en el centro del matorral.

Había encontrado un montón de ropa vieja de hombre en la buhardilla, la que su padre usaba cuando aún vivía con ellos. Pensando que debían servir para algo, tuvo la idea del espantapájaros o el espanta-gente, como ella lo llamaba. Se ocupaba mucho de él. De vez en cuando le cambiaba la ropa y procuraba remendar aquellos andrajos lo mejor que podía.

Lo llamaba en secreto *Papá Pelerín*. ¿Por qué precisamente *Pelerín?* No se sabía. El apellido de su padre era Persson, el de su madre, Nilsson; pero a ella le gustaba llamarse a sí misma Loella *Pelerín,* simplemente porque le sonaba bien.

A veces *Papá Pelerín* llevaba una chaqueta marrón y pantalones a juego; otras, un abrigo entallado. Y aunque tenía una colección de sombreros, casi siempre llevaba uno de ala muy ancha. También tenía un traje bueno, negro, con rayitas finas y enormemente ancho de espaldas, que usaba los domingos, días de fiesta y en el cumpleaños de Loella.

Cuando llovía estaba cubierto con una gran tela negra plastificada y lo menos que se puede decir es que le daba un aspecto terrorífico. Si soplaba el viento y empujaba el impermeable, parecía un fantasma negro, amenazador, capaz de poner los pelos de punta al más pintado.

Al pasar por allí, Fredrik Olsson ponía el correo de Loella en uno de los bolsillos de *Papá Pelerín*. Y si las cartas eran pocas y llegaban muy de tarde en tarde, como solía suceder, Loella igual encontraba algo en el bolsillo: una bolsita de caramelos o una pastilla de chicle. Porque Fredrik Olsson había descubierto, nadie sabe cómo, la gran debilidad de Loella por el chicle y los dulces.

A cambio, ella le guardaba los sellos de las cartas de su madre, que podían ser de cualquier país, y los ponía en el bolsillo de *Papá Pelerín*. Porque Loella se había enterado

—tampoco se sabía cómo— que Fredrik Olsson coleccionaba sellos de países extranjeros.

Aunque había más de una legua entre sus dos cabañas, eran los vecinos más próximos. Buenos vecinos. Cada uno era el amigo invisible del otro.

Pocos días después de la última visita de tía Adina, Loella recibió una carta. Desde bastante lejos vio el gran sobre marrón asomando por el bolsillo de *Papá Pelerín.* Con el corazón palpitando fuertemente, corrió a buscarla.

¡Era de mamá! Y con matasellos de Gotenburgo. Eso quería decir que estaba cerca de casa.

Loella abrió el sobre y de él cayó un pañuelo de seda grande, cuadrado, con dibujos de bonitos colores sobre fondo rojo. Debajo de cada dibujo ponía Londres, París, Nueva York, Madrid, Berlín, Roma. Era precioso. No podía dar crédito a sus ojos. ¿Mamá se habría hecho rica?

Leyó de prisa la carta. Era larga, como todas las de mamá. Había tanto que leer... Sus ojos volaron sobre las líneas... buscando... preguntándose si... Hablaba del mar y del tiempo y de los sitios donde había estado en los últimos meses. Había cambiado de barco en Londres; el nuevo barco era más pequeño, pero el capitán era mejor. El pañuelo lo había comprado en Amsterdam; también los había azules, pero ella había preferido el rojo. Habían tenido una tormenta que había durado cuatro días en el Mar del Norte, el barco se movía muchísimo, pero por suerte no había pasado nada malo...

Los ojos de Loella volaban sobre las páginas...

De arriba abajo; ansiosa; pero no decía nada de cuándo vendría. Se puso de mal humor leyendo, ausente; los pensamientos se amontonaban en su cabeza. Mamá decía tantas cosas sin importancia... Ah, sí, ahí debe estar... Y efectivamente, en la última página encontró la información que buscaba.

...Como ves, ahora estamos en nuestro viejo Gotenburgo, y todo está más o menos igual que siempre, me parece, y como recordarás ya hace bastante tiempo que no había pasado por aquí en los últimos viajes con el capitán Bengtsson. Te aseguro que se me hace muy raro estar tan cerca de vosotros y no veros. Pero tú, querida hijita, no debes pensar que no echo de menos a mis pequeños y a

23

nuestro hogar, porque eso es lo que siento a cada momento del día; para mí también es muy duro no estar con vosotros, no creas otra cosa. Pero cuando se tiene la oportunidad de ir a América no se puede desperdiciarla. Allí es donde hay dinero, montones de dinero. ¿No te he dicho siempre que un día seríamos ricos? Parece que ese día ha llegado por fin. Me pagan el viaje y he conseguido un trabajo realmente bueno con una familia noble, de verdad. ¿Te imaginas? Una familia riquísima y excelente de Estocolmo que va a pasar un año en los Estados Unidos y me han dado el empleo porque sé inglés y querían una persona que lo hablara. No tendré tiempo de ir a casa porque el barco sale mañana. He escrito a mi antigua amiga Agda Lundkvist y ella se hará cargo de los niños. Pero a ti no te puede tener, Loella. Esto me tuvo muy preocupada, pero ahora Agda lo ha arreglado todo para que tú vayas al Hogar de los Niños de la ciudad. Después de todo, sólo será por poco más de un año. Está muy cerca de la casa de Agda y puedes ir allí cuando quieras. Agda me ha prometido ir uno de estos días a buscarte en coche. Piensa que sólo será por un año. Hasta puede que yo vuelva antes, para el verano, cuando el cuco canta en el bosque. ¿Quién sabe? Entonces tendrás muchos regalos, todos

24

los que quieras. Así que sé buena chica y pórtate bien en el Hogar de los Niños *para que hagas quedar bien a tu madre, que siempre piensa en lo que es mejor para vosotros. Todo el cariño y los besos de*

MAMA

P.D.—*Cuida bien el pañuelo para que lo puedas lucir cuando vayas a la ciudad. Es de pura seda artificial. Más besos.*

Loella estaba aturdida. La carta temblaba en su mano. El pañuelo había caído al suelo.

La desilusión la hacía sentirse como vacía. Como si el viento la hubiera traspasado rompiéndolo todo en su interior. No había ni un pensamiento en su cabeza ni una emoción en su cuerpo.

No se podía mover.

El sol brillaba débilmente. Todos los colores, excepto los negros, parecían desteñidos. El aire era frío, tranquilo, transparente. Los árboles se erguían desnudos, inmóviles. Y el silencio era total, como si todos los sonidos hubieran muerto para siempre. Como si ese fuera el último día del mundo.

Entonces, de repente, la parálisis dejó de agarrotarla. Su sangre volvió a fluir de nuevo. Y sus mejillas se pusieron rojas y calientes. No de rabia. Le hubiera gustado, pero no estaba indignada.

Lo único que sentía era vergüenza. No podía explicárselo, pero la vergüenza la inundaba hasta ahogarla. Estaba avergonzada. Avergonzada. Por el pañuelo, por la carta. Y por... mamá. Avergonzada por todo.

Con mano firme rompió la carta en pedacitos y los echó al viento. Ató el pañuelo al cuello del espantapájaros.

Después se sintió igual que antes, en su estado normal. Recogió rápidamente unas ramas secas y corrió a casa. Se había convertido en una costumbre no volver nunca sin llevar unas cuantas. Así siempre tenía combustible a mano.

Pero poco después estaba de nuevo junto a *Papá Pelerín*. Traía el gran impermeable negro, lo envolvió en él y mirándolo fijamente dijo:

—*Papá Pelerín*, lo que tenemos que hacer ahora es asustar a una tal Agda Lundkvist para que nos deje en paz. Asustarla tanto que no le queden ganas de volver por aquí.

Luego añadió con una curiosa sonrisa:

—Los padres traen a los niños al mundo, pero yo te he hecho a ti, *Papá Pelerín* y... ¿sabes?... ahora me hubiera gustado haber tenido la oportunidad de hacer también a mamá.

26

3

TIA Adina se rompió una pierna la misma noche de lluvia en que visitó a Loella, cuando regresaba a su casa. Por eso no llegó a enterarse de que había recibido la carta. Y de todos modos no se hubiera enterado, porque Loella prefería no hablar de ella.

Otra cosa que tía Adina no llegó a saber es que Loella había estado a punto de aceptar su invitación, ya que no tenía objeto seguir esperando a su madre.

Tía Adina tuvo que ir al hospital a curarse la pierna. Tío David, el marido de Adina, se lo dijo a Loella con su tono lento y sombrío.

Llegó con un cesto de galletas y algunas latas, y otro lleno de huevos. Lo puso todo sobre la mesa y permaneció un momento callado, rascándose la cabeza y esforzándose por reunir sus ideas.

Por fin estuvo en condiciones de traducirlas en palabras.

27

—Bueno... Adina fue y se rompió la pierna cuando volvía corriendo a casa, la otra noche. Como caía semejante chaparrón... resbaló y se cayó. Yo mismo me la encontré ahí tirada. Así que la llevé derecho al hospital.

Loella se mostró muy afligida, pero tío David la tranquilizó.

—No es muy grave la cosa... Seguramente estará en casa dentro de un par de semanas.

Añadió que había prometido darse una vuelta por la cabaña y ver cómo estaban Loella y los mellizos. Se rascó de nuevo la cabeza y dijo, preocupado:

—Tienes que decirme si necesitáis algo... Puedes estar segura de que te lo traeré. Pero a mí no se me ocurre... No sé bien qué les hace falta a unos niños. ¿Sabrás abrir las latas?

Naturalmente que Loella sabía hacerlo. Y le dijo que se las arreglarían perfectamente. No necesitaban ninguna ayuda. Siempre habían salido adelante solos.

—¿De veras? Pero algo necesitaréis... Ya sabes que he prometido ocuparme de vosotros.

No, nada en absoluto, le aseguró Loella. Tenían todo lo preciso. Sentía claramente que su tío estaba violento y que si había ido era porque lo consideraba una obligación.

28

Tía Adina era diferente. Ella iba porque de verdad le apetecía.

—Está bien... Pero si pasa cualquier cosa, me lo dices.

Al cabo de una semana, la despensa de Loella estaba vacía. Y también la lata donde guardaba el dinero. En el bosque se habían acabado definitivamente las setas.

Tenía un paquete de copos de avena para hacer con leche y en el bosque los enebros estaban cargados de frutos con los que preparaba una rica bebida; pero nada más que eso.

El temor de que apareciera Agda Lundkvist le impedía alejarse de su casa como no fuera por poco tiempo; pero al fin no tuvo más remedio que hacerlo.

Se vio obligada a ir al pueblo y era importante que no la descubrieran. No es que pensara cometer ningún delito, pero sí algo que convenía ocultar. Por la especial naturaleza del asunto era preferible que no la vieran.

En el pueblo había una carnicería y una panadería. Ambas tenían en la parte de atrás un patio y en cada uno de ellos había un cubo donde tiraban la mercadería que se estropeaba, aunque fuera sólo un poquito. En el cubo de la panadería se solían encontrar pasteles y tartas con la crema apenas agria. En el de la carnicería había salchichas, chuletas y otras cosas que estaban justo a punto de echarse a perder. Nada realmente malo, porque tiraban todo lo que pudiera tener aunque fuese un ligerísimo mal sabor.

Loella había rebuscado en esos cubos en otras ocasiones, antes de que tía Adina apareciera en su vida, y siempre había regresado con un rico botín. Pensaba que era escandaloso tirar cosas tan buenas. La gente del pueblo debía ser muy remilgada.

Lo que hacía no se podía llamar robo, excepto, quizás, desde el punto de vista de los cerdos; pero los cerdos del pueblo estaban ya mucho más gordos de lo que les convenía. Además, considerando el trágico objetivo que tenía el atiborrarlos de comida, casi les hacía un favor.

Por lo tanto, desvalijaba los cubos sin miedo, con la conciencia tranquila y gran agilidad. Sabía exactamente qué días eran los mejores.

Era una excitante aventura. Lo único malo era la amenaza de Agda Lundkvist, que la obligaba a ir y volver mucho más de prisa que de costumbre.

Todo salió bien. Encontró un montón de salchichas y lonchas de jamón. Y otro de bollos y pasteles. Al salir de la panadería, una niña la vio y le gritó: «¡*Malos Pelos!* ¡Eres una ladrona!»

Loella la miró despectivamente. Era una cría miedosa y cobardica, incapaz de mantener sus palabras. No valía la pena ni pelearse con ella.

—¡Métete en tu casa y límpiate los mocos en el delantal de tu madre, niña! —dijo Loella en un tono más desdeñoso que colérico. Pero la niña empezó a gritar mirando ansiosamente a su alrededor, con la esperanza de llamar la atención de alguna persona mayor.

Su deseo se vio satisfecho. Varias ventanas se abrieron y voces de mujeres inquietas preguntaban qué ocurría.

Pero para entonces Loella ya estaba muy lejos.

Corrió hacia el bosque, satisfecha de su botín, pero muy preocupada.

Afortunadamente no había pasado nada. Agda Lundkvist no había aparecido. Todo estaba tal como lo había dejado.

Rudolph y Conrad estaban tranquilamente sentados en los cajones del armario que se les habían quedado pequeños para dormir. Lloriqueaban porque tenían hambre, pero no les había sucedido nada malo. Se pusieron muy contentos en cuanto les dio un bizcocho a cada uno.

De esta manera Loella se las iba arreglando un día y otro. No era fácil, pero tampoco tan difícil como se pudiera pensar. Estaba acostumbrada a vivir así y la soledad no la afligía demasiado. Los mellizos eran buena compañía y la mantenían ocupada.

Por otra parte, contaba con sus amigos. Casi a diario *Papá Pelerín* escondía algo para ella debajo de su gran impermeable negro y, últimamente, no sólo caramelos y chicles. A menudo encontraba en su bolsillo una salchicha, un trozo de queso o un pan. Toda clase de cosas buenas. Y casi cada día había una botella de leche en su brazo. Loella se la llevaba a casa y, cuando la leche se terminaba, dejaba la botella en el mismo sitio. Al día siguiente estaba llena otra vez.

A pesar de que era obstinada y orgullosa, recibía alegremente esta ayuda porque se le ofrecía con naturalidad, sin aspavientos. Sabía también que Fredrik Olsson comprendía que ella hubiera hecho lo mismo por él.

Un día llegó carta de tía Adina, desde el hospital. En el sobre había un billete de diez coronas y la carta demostraba cuánto los quería y se preocupaba por ellos.

Queridos Niños:

¿Cómo estáis en vuestra pequeña cabaña? Pienso mucho en bosotros, ya lo creo que sí. Es un Mal Asunto haver venido a parar al hospital por una tontería, pero los dotores y las Enfermeras son muy buenos conmigo, las cosas como son. Lo que tengo es una frastura Mulltiple y dice el Dotor que tardará en curarse. Aparte de esto estoy Bien y no debo qejarme, pero como estais bosotros? Siempre pienso en bosotros y espero que tengáis comida Todos los días y espero que David se ocupe de bosotros y tú Loella ten cuidado con el fuego no sea que salte una Chispa al suelo y se incendie la casa, pero estoy segura de que tienes cuidado y pon bien alta la Lanpara de Aceite para que los niños no puedan alcanzarla sería mejor que conpraras velas y las apagues antes de que ellos se bayan a dormir. Te mando algo de Dinero y ve a ver a David que te dará mas se lo he dicho. Mi mrido no es muy Listo pero tiene un Alma Caritattiva y hace todo lo que puede cuando se lo digo. Que tonteria tan grande estar aqui tumbada cuando me necesitáis mas que nunca. Estuve toda la Tarde escribiendo esta Carta y ahora me traen el café y por eso tengo que terminar. Buena Suerte.

Con mucho cariño

ADINA PETTERSSON

No, Loella no se sentía abandonada en el bosque. Tenía a sus amigos. Tampoco estaba asustada. Es cierto que ése era el primer invierno que pasaría sola, pero estaba segura de que todo saldría bien.

Siempre que, naturalmente, Agda Lundkvist siguiera sin aparecer. Quizás fuese como mamá, que hacía promesas que nunca cumplía. Ojalá, pensaba Loella. Le vendría estupendamente que Agda Lundkvist fuera así también.

Debía de haber pasado ya mucho desde que prometió a mamá ir en busca de ellos. «Uno de estos días», ponía la carta. Si realmente tuviera intención de venir, ya lo hubiera hecho.

4

UNA noche llegó la nieve.

No caía suave y tranquilamente, en hermosos copos grandes y blancos, como se ve en las tarjetas postales, sino en bolitas duras que silbaban cortando el aire. De repente empezó a hacer mucho frío, pero Loella estaba bien preparada. Había llevado a casa montones de leña para el fuego, ramas y piñas. La leñera estaba repleta.

En cuanto se levantaba, muy temprano, encendía el fuego y en seguida la casa estaba caliente y acogedora. Al amanecer hacía su excursión al pueblo. Era época de vacas flacas otra vez. Sus reservas disminuían rápidamente.

Los mellizos dormían aún. Si se daba prisa, podía estar de vuelta antes de que se despertaran. ¡Señor, qué viento...! Parecía como si quisiera atravesarla. Sólo llevaba encima el jersey verde y, por muy grande que fuera, no era suficiente protección contra el viento.

Cuando pasó junto al matorral de frambuesas donde estaba *Papá Pelerín*, se le ocurrió de repente que podía coger prestado el impermeable negro. Le llegaría hasta los tobillos, desde luego, pero la resguardaría del viento.

Ese sería un día de suerte porque, con semejante tormenta, era muy difícil que nadie la viera en el pueblo. Unas viejas tapadas hasta la nariz y con la cabeza baja, avanzaban trabajosamente bajo la nieve punzante sin ocuparse más que de ellas mismas.

Un día perfecto para una expedición a los cubos.

Llena de energía, Loella volaba de uno a otro como un joven cuervo. En uno pescó una chuleta de cerdo y una ristra de salchichas; en otro, una tarta de crema enorme que probó y apenas estaba agria. También encontró unos cuantos pasteles.

Con la cesta hasta los bordes, inició el camino de regreso. A pesar de la nieve y el viento, la operación no le había llevado mucho tiempo. Debían ser poco más de las nueve y ahora tenía el viento a favor.

La nieve zumbaba a su alrededor. Llevaba la cesta bajo el impermeable para protegerla.

Las copas de los pinos canturreaban y el viento, que venía de atrás, inflaba la tela negra y empujaba a Loella como si fuera un barco. Apenas podía levantar los pies; pero tenía que correr y lo consiguió, aunque el camino hacia el bosque era cuesta arriba.

Llegó en seguida a las matas de frambuesas y se detuvo para poner de nuevo el impermeable sobre los hombros de *Papá Pelerín*. Tenía una botella en el brazo. Fredrik Olsson había dejado la leche.

Entonces le pareció oír el ruido de un motor. Se volvió, pero no vio nada.

El matorral estaba en una especie de cañada rodeada de colinas y allí el viento no soplaba con tanta fuerza. No, no era el viento lo que había oído. Entonces... ¿qué era? Los coches nunca llegaban hasta allí. Se había equivocado.

No, lo oía otra vez. Claramente. Más cerca. No le quedaba ninguna duda. Un coche se acercaba por el bosque.

Todavía no se podía ver, porque el camino hacía muchas curvas. Y de repente ya no escuchó el ruido, pero sí el de una portezuela al cerrarse y voces que traía el viento. ¡Agda Lundkvist! ¿Quién más podía ser?

Loella casi había dejado de creer que vendría, después de tanto tiempo, pero la amenaza pesaba siempre sobre ella. Ahora ya era una realidad.

Estaba asustada, es cierto; pero también estaba preparada para ese momento. Lo más importante era actuar con rapidez. Llegar a casa y cerrar la puerta con llave. No tenía tiempo para ponerle el impermeable a *Papá Pelerín* ni para quitarle la botella de leche. Bastante complicado era ya correr llevando la cesta.

Volvió a oír las voces. El viento se las traía terriblemente claras y audibles. Agda Lundkvist no estaba sola; con ella venía un hombre.

Loella estaba a punto de huir cuando los vio. Salieron del bosque muy cerca de ella. Demasiado tarde. No podía volver a la cabaña sin que se dieran cuenta. Tan de prisa como si la empujara un rayo, se zambulló detrás de *Papá Pelerín* y se deslizó como un gusanito entre las matas, cautelosamente, aferrando la preciosa cesta. Se escondió detrás de un montón de hojas secas que había entre dos rocas cubiertas de musgo y se quedó inmóvil, como una piedra negra.

Los oyó charlar y reír junto a *Papá Pelerín*. Les daba risa el espantapájaros, con su botella de leche en el brazo. Loella se preguntó si la descubrirían; pero no. Sólo se pararon un momento. Ahora podía verlos.

—¡Espantapájaros en pleno invierno! La gente del bosque debe estar chiflada —dijo la mujer, y el hombre enseñó los dientes en una sonrisa que más parecía una mueca.

La mujer era bastante corpulenta y llevaba un abrigo marrón y un sombrero verde sobre su pelo rubio. Tenía una nariz grande que bajaba, ganchuda, hacia la boca pintada de un rojo chillón. Los ojos negros de Loella observaban cada detalle con aversión. No le gustaba la expresión de la mujer, de mal genio y mandona. Si Agda Lundkvist era siempre así, no debía ser muy divertido vivir con ella.

Loella miró al hombre.

Era alto, cargado de hombros, con manos grandes y torpes y una cara ancha, aplastada y desteñida. Seguramente, poco peligroso. Y aunque parecía un tipo astuto, daba la impresión de que se dejaba engañar con facilidad, si es que puede darse una combinación tan extraña en la misma persona. Pero, sobre todo, se notaba que estaba incómodo. Nunca se borraba de sus labios una sonrisa forzada.

¿Y éstos eran los que se iban a llevar a sus hermanitos? ¡Nunca! ¡Jamás, mientras ella viviera! No le gustaba ni pizca.

Su cerebro trabajaba febrilmente mientras

39

ellos seguían descansando y burlándose de *Papá Pelerín.* Que se divirtieran, mientras podían... Ella no les iba a dar motivos para pasarlo bien; pronto se darían cuenta.

Sin la llave, ¿cómo iban a entrar en la cabaña? Y la llave la tenía ella en el fondo de la cesta. La puerta era muy resistente. Las ventanas, demasiado pequeñas para permitirles entrar por ellas. Lo mejor que podía pasar era que no la vieran. Se cansarían pronto de esperar en medio de la tormenta. La mujer ya se estaba quejando.

—¡Qué idea más estúpida, venir con este horrible tiempo! —dijo con tono áspero.

—Tenía que ser cuando me prestaran el coche —contestó el hombre—. Antes, imposible.

—¡Y tuvo que ser hoy! Si te hubieras preocupado, estoy segura de que te hubieran dejado el coche mucho antes. Pero como eres así... ¡Y sabiendo que le prometí a Iris que vendríamos a buscarlos hace no sé cuántas semanas!

Iris era mamá. Estaba hablando de ella. Loella oía cada palabra.

—No tengo la culpa de que hagas promesas sin contar conmigo —dijo el hombre. Y la mujer contestó furiosa:

—¡Cuántas veces he de decirte que Iris me

paga para que cuide a los niños! Y nunca ha sido tacaña. Creo que está haciendo fortuna en América.

¡Qué barbaridad! Loella casi pega un bote en su escondite. ¡Mamá iba a pagar a semejante gente para que cuidaran a sus hermanitos! Ellos deberían pagar por tener a los niños...

—La cabaña está más arriba, en un claro —dijo la mujer—. Hace mucho tiempo vine a ver a Iris. La chica, Loella, o como se llame, tenía sólo dos años. Una cría insoportable, rabiosa y terca, a pesar de lo pequeña que era. Habrá salido a su padre, seguro. Nunca me cayó bien. No aguanto a los hombres guapos y aquél era como un artista de cine; pero cabezota y orgulloso como si el mundo fuera suyo. Espero que los mellizos estén un poco mejor educados que ella. Puede ser, porque son de otro padre y he oído decir que era un hombre de ·buen carácter.

Empezaron a subir la cuesta, pero Loella se quedó en su sitio, aturdida.

Esta mujer, de la que no sabía nada aparte de su nombre, Agda Lundkvist, la había visto cuando era pequeña y había conocido a su padre, del que nadie, ni siquiera su madre, le había hablado nunca. Esto la convertía en una persona temible, superior, poderosa. Loella miró sus anchas espaldas, como hechizada, y sintió que irradiaban un extraño peligro.

Con el corazón palpitándole precipitadamente, fue de puntillas tras ellos.

Pronto llegaron a la cabaña y empezaron a golpear la puerta. Ella se deslizó hasta situarse lo más cerca posible, escondida tras un gran abeto. De nuevo pudo oír cuanto decían.

—¿Qué demonios estarán haciendo? ¿Por qué no abren la puerta? En un día como éste tienen que estar en casa.

Fueron hacia la ventana y miraron al interior.

—¡En cuanto le ponga la mano encima a esa chica, sabrá lo que es bueno! —dijo Agda Lundkvist.

—Se debe estar bien ahí dentro —dijo el hombre.

—¡Bah! Todo revuelto... y tan oscuro que no se ve nada. ¿Cómo podría Iris vivir así? ¿Tú ves algo?

En ese momento los mellizos se echaron a llorar.

—¡Lo que te dije! Están en casa. Menos mal que no hemos hecho el viaje en balde. La chica debe estar escondida. Estoy segura de que al principio va a armar mucho jaleo. Iris me dijo que es muy cabeza dura y que se enrabietaría.

Seguían junto a la ventana y de pronto vieron a Rudolph y a Conrad.

Habían salido de sus cajones y ahora corrían de un lado a otro de la habitación. ¡Qué mala suerte! ¡Y cómo lloraban! A Loella se le partía el corazón oyéndolos. El hombre dijo:

—No creo que la chica esté en casa. Si estuviera, los chicos la llamarían. Se ve que ella se ha ido por ahí y los ha dejado solos.

Agda Lundkvist estaba fuera de sí y vociferó:

—Entonces, ¿qué hacemos? Si ha ido al pueblo pueden pasar años antes de que vuelva. ¡Y con este frío! Vamos a esperarla en el coche. La veremos cuando llegue. Es una idiotez quedarse aquí de pie...

El hombre mostró otra vez su irritante sonrisita.

—No... Puede escabullirse por otro lado cuando vea el coche. Nuestra única oportunidad es atraparla antes de que tenga tiempo de meterse en la casa y encerrarse con llave. Debemos esperar aquí mismo. No hay otro remedio.

La expresión de disgusto se hizo más patente en la cara de Agda Lundkvist.

—Ya es bastante desgracia tener que cargar con una loca, para que encima haya que aguantar este frío horrible. ¡Y todo por una chica incapaz de sentir el menor agradecimiento! Porque no comprenderá que tratamos de ayudarla... El padre era igual. No tenía donde caerse muerto, pero tenía más humos que si fuera a subir a un trono en cualquier momento. Más orgulloso que nadie. ¡No aguanto a la gente así! Por mí, como si no existiera.

Iba y venía, furiosa, con la cara amoratada de frío. La nieve revoloteaba a su alrededor. El viento silbaba. De vez en cuando se detenía para frotarse las manos y golpear el suelo con los pies. Estaba indignada. El hombre, en cambio, no parecía sentir ni tanta indignación ni tanto frío. Seguía mirando por la ventana como si no le importara mucho lo que estaba pasando.

Loella, detrás del abeto, no hacía caso del frío ni de la nieve, tan impresionada estaba por lo que llegaba a sus oídos.

Una y otra vez hablaban de su padre. Decían que era igual que ella y le extrañaba oírlo. Nunca había pensado en él, como si durante todos esos años no hubiera existido; pero en ese momento en que tenía tantas preocupaciones, en medio de la tormenta, con sus hermanitos llorando y aquella gente

44

cerca, empezaba a tomar cuerpo y a convertirse en una persona viva.

Y acabó por hacerse completamente real para Loella cuando la mujer dijo:

—Quería muchísimo a la chica. Porque era como él, supongo. Armó un lío terrible para quedarse con ella y si Iris hubiera tenido un poco de sentido común, se la hubiera dejado. Pero se peleó con él y le dijo que si quería marcharse, tendría que ser sin la niña. El se llevó un disgusto terrible; pero se lo tuvo merecido, por engreído.

De pronto Loella no pudo aguantar más. Estaba ciega de rabia. Esos dos... ¿por qué no se marchaban y dejaban de hablar? Allí no hacían ninguna falta.

¿Quiénes eran para permitirse hacer esos comentarios sobre su padre? Si no les gustaba, a ella le importaba un pepino. Al contrario, era la mejor recomendación. Los dos intrusos tampoco le gustaban a ella. Y era lógico. ¿No decían que era como su padre?

Pero no tenían derecho a hablar de papá. No era asunto suyo. ¡Tenían que irse! ¡Y en seguida!

Rudolph y Conrad lloraban a todo pulmón. No había razón para esperar más. Debía ir a su lado. Poner fin a la historia lo más deprisa posible.

Detrás de la cabaña había una vieja escalera. Rápidamente, en silencio, la alcanzó, la apoyó contra la pared y subió al tejado. Con cesta y todo; pero había escondido la llave junto al abeto. Así, aunque la pareja la descubriera, no podrían entrar en la casa.

Apareció inopinadamente junto a la chimenea, en plena furia del viento y los torbellinos de nieve. Como un gran pájaro negro y salvaje. Ellos no la habían visto aún.

Entonces, Loella estiró el brazo señalándolos.

—¡Qué están haciendo ahí! —gritó con todas sus fuerzas. Salían chispas de sus ojos. El viento enmarañaba todavía más sus rizos. El impermeable se agitaba y restallaba como un látigo en el viento. Tenía un aspecto aterrador. Los dos, petrificados, se quedaron mirándola.

Al ver lo asustados que estaban, Loella dio rienda suelta a sus impulsos. Balanceando los brazos bajo la manta impermeable, daba grandes saltos y decía con voz silbante:

—¡Luna negra! ¡Flor venenosa! ¡Nido de culebras!

Agda Lundkvist se llevó las manos a la cabeza y se tambaleó acercándose al hombre.

—¡Está loca! ¡Nunca he visto nada tan espantoso! ¿Qué hacemos?

46

—¡Fuera de aquí!

—Tu madre nos pidió que viniéramos —dijo la mujer con un hilo de voz.

—Ella nos ha abandonado. La única que manda ahora aquí soy yo. ¡Largo!

—¿Qué vamos a hacer con ella, Gösta?

Agda Lundkvist ya estaba casi derrotada, pero Loella se daba cuenta de que en la cabeza del hombre, y tras su bobalicona sonrisa, bullía alguna trampa. Una bola de nieve cruzó el aire como un disparo. Ella se hizo a un lado para evitarla; pero en seguida llegó otra que le dio en plena mejilla.

Era más de lo que podía soportar. La cesta estaba detrás de la chimenea. Fue a buscarla y un segundo después estaba subida en la chimenea con una tarta de crema en cada mano. Hizo puntería, las arrojó, cogió más y también las lanzó. No tenía tiempo para fijarse si había hecho blanco; pero la mujer dio un grito y se le cayó el sombrero. Lo recogió y salió corriendo.

—¡Vamos, Gösta! ¡Está completamente loca! Tendremos que mandar a la policía a buscarla.

El hombre no se movió. Una astuta sonrisa demostraba que estaba planeando otra estratagema, pero era demasiado lento. Oyó un sonido amenazador y vio al terrible pájaro agitándose salvajemente en el tejado. Antes de comprender lo que se le venía encima, una gran tarta de crema hizo blanco en toda su cara.

Entonces optó también por escapar, mientras la risa burlona del pájaro resonaba en sus oídos.

Loella se quedó todavía un momento en el tejado, hasta estar completamente segura.

Las voces nerviosas de la pareja se hicieron cada vez más débiles. La portezuela del coche golpeó al cerrarse. El motor se puso en marcha... y su sonido se desvaneció a lo lejos.

Ahora no se oía nada, excepto el viento. Loella bajó precipitadamente y entró en la cabaña.

5

LOELLA estaba satisfecha de sí misma. El día anterior había obtenido una brillante victoria sobre Agda Lundkvist; pero la victoria le dio un exceso de confianza. Pensaba que era invencible, que nadie podría con ella. Sentía como si pudiera dominar al mundo entero con una sola mano.

Fue un día muy tranquilo. El sol salió después de la tormenta de nieve y brillaba sobre el blanco paisaje. No había viento. Era muy bonito.

Fue a quitar la nieve de las ropas de *Papá Pelerín* y encontró en sus bolsillos un poco de mantequilla y algunos chicles. También una tarjeta de tía Adina diciendo que volvería a su casa dos días más tarde.

Todo parecía dispuesto para que se sintiera optimista y alegre.

Dejó a los gemelos jugando al sol, sobre la nieve, mientras hacía las camas y ordenaba la casa. Los niños estaban locos de alegría y ella misma disfrutaba la sensación de poder respirar libremente, al fin, y no tener que estar todo el tiempo en guardia viviendo bajo una constante amenaza. Estaba segura de haber asustado tanto a los visitantes, que pasaría mucho tiempo hasta que se atrevieran a poner otra vez los pies en el bosque.

Pero Loella se equivocaba.

No comprendía que, por el contrario, había impulsado a Agda Lundkvist a tomar medidas más violentas. Lo primero que la mujer hizo al regresar a la ciudad fue llamar al Patronato de Menores. Les contó todo sin ahorrar palabras.

El Patronato decidió tomar cartas en el asunto sin perder tiempo.

Al día siguiente se pusieron en camino. Dos coches salían de la ciudad en aquella apacible mañana. En uno iban Agda Lundkvist y su marido. En el otro, dos representantes del Patronato de Menores.

—Dentro de un momento comeremos —dijo Loella a los mellizos—. No os vayáis muy lejos. Quedaos cerca de aquí. Os daré una voz cuando la comida esté lista.

Los niños obedecieron; pero de todos modos Loella dejó la puerta entreabierta para poder echarles un vistazo de vez en cuando.

50

Había puesto las tazas y los platos en la mesa y empezó a freír salchichas y patatas. Cantaba y silbaba. ¡No era para menos! Tía Adina estaría de vuelta pronto y tenía salchichas y buena mantequilla. Las perspectivas no podían ser mejores.

De pronto, unas sombras negras se proyectaron sobre el suelo. La entrada y las ventanas se oscurecieron.

Sombras silenciosas parecían rodear la cabaña. Loella dejó de cantar. Como atontada, vio a dos mujeres que aparecieron de repente a su lado. Sonreían.

—Esta debe ser Loella, supongo... —dijo una de ellas—. ¡Qué niña tan dispuesta!

La otra asintió.

—Sí, desde luego. Haces la comida para tus hermanitos y tienes la casa muy limpia. ¡Muy limpia y ordenada!

Loella no dijo una sola palabra. Permaneció en su sitio, sujetando débilmente un cuchillo. La habían sorprendido, no entendía nada. ¿Qué era lo que pretendían?

Por lo que pudo comprender, se trataba de Rudolph y Conrad. A través de la ventana vio a Agda Lundkvist y a su marido. Se habían quedado fuera y hablaban con los mellizos imitando el lenguaje de los niños. Ellos reían porque no sabían hacer otra cosa.

¿Qué significaba todo eso? ¿Querían asustarla, tomarle el pelo? ¿Pero con qué propósito? Habían llegado a traición para pillarla desprevenida. Sólo una tonta no se daría cuenta; de otro modo, hubiera oído algo. Pero no se había escuchado un solo ruido.

De pronto se sintió cansada, sin fuerzas. Parecía que sus músculos se negaran a funcionar; que sus piernas, lo mismo que su cabeza y sus brazos, no formaban parte de su cuerpo. Se limitaba a estar allí, de pie, en medio de la habitación. Las salchichas se estaban quemando en la sartén. Ella se daba cuenta, pero no le importaba. Era como si nada tuviera que ver con ella. Una de las mujeres apartó la sartén del fuego. Y seguían hablando, hablando...

Les resultaba absurdo verlas en su pequeña cabaña. ¿Qué buscaban? Sus palabras martilleaban los oídos de Loella y tenía que hacer un esfuerzo para descubrir en ellas algún sentido.

Una de las mujeres se acercó a la mesa. Sacó un papel de su cartera y lo agitó, al tiempo que sonreía y hablaba. La otra tomó suavemente a Loella por un brazo, mirándola, mientras sonreía y hablaba.

Loella se sentó en el sofá. Ellas se quedaron de pie, una a cada lado. Señalando el papel explicaban algo, gesticulaban y sonreían.

El nombre de mamá fue mencionado varias veces. Eso estaba claro. Según decían, mamá les había escrito una carta pidiéndoles que se hicieran cargo de ella. Viviría en un hogar para niños, un sitio muy agradable, hasta que mamá regresara. Le enseñaron la carta y le pidieron que la leyera, pero ella no se molestó en hacerlo. Luego las mujeres señalaron la firma. Sí, claro que Loella conocía la firma de su madre. ¿Y qué?

No le decía nada nuevo. Ella sabía perfectamente que su madre los había abandonado. De eso no necesitaba ninguna prueba.

Agda Lundkvist apareció en la puerta con Rudolph en un brazo y Conrad en el otro. Loella sintió como si le asestaran una puñalada.

Pero la fatiga se adueñó de ella otra vez. Y se entregó sin resistencia porque sabía que era inútil seguir luchando. Bostezó varias veces. Las dos sonrientes señoras la miraron curiosamente.

—Tu madre nos escribió una carta conmovedora diciendo que piensa siempre en vosotros y en lo que más os conviene. Sufre mucho por no poder teneros con ella.

Loella se tumbó en el sofá.

—Aquí se habla demasiado —dijo disgustada—. Esta casa es demasiado pequeña para aguantar el ruido de tanta charla. Lo mismo se viene abajo.

Fueron las primeras palabras que pronunció. Y las únicas.

Las dos mujeres le dirigieron una rápida mirada y guardaron los papeles en la cartera. Esta vez, al menos, no sonreían. Agda Lundkvist susurró gravemente a una de ellas:

—Lo han visto ustedes mismas, ¿no? Ya les dije que esta chica no está bien de la cabeza.

La mujer no contestó. Se limitó a hacer un gesto con la cabeza y rápidamente empezó a sacar de los cajones la ropa de los niños. Agda Lundkvist se quedó a un lado y su cara reflejaba sus mezquinos pensamientos. Su marido cogió a los gemelos y los llevó afuera. Las mujeres estaban haciendo el equipaje. Loella seguía sentada, quieta. Agda Lundkvist quiso ser útil recogiendo algunas cosas, ordenando la cabaña, y de vez en cuando dirigía a Loella una mirada de triunfo que la chica ni siquiera advertía.

No había mucho que llevar. Las señoras terminaron pronto su tarea.

Entonces dijeron, con cierto embarazo, que todo estaba listo y era hora de marcharse.

Loella se levantó mecánicamente, abrigándose con su chaqueta verde. Todos salieron y ella los siguió sin ofrecer la menor resistencia.

El marido de Agda Lundkvist cerró la puerta y luego preguntó qué hacía con la llave.

—Nosotros la guardaremos —dijo su mujer, arrebatándosela de las manos.

Ni siquiera esto hizo reaccionar a Loella. Hubo un momento de silencio hasta que una de las señoras dijo:

—No, con la llave se quedará Loella. Es suya. Estoy segura de que la cuidará bien, como ha sabido cuidar a su casa y a sus hermanos. Además, pronto estará de vuelta. Sólo pasará el invierno en la ciudad.

Y diciendo estas palabras tomó la llave de manos de Agda Lundkvist y se la dio a Loella. Entonces echaron a andar. Delante, las dos señoras llevando todas las cosas; detrás, Agda Lundkvist con Rudolph y su marido con Conrad.

Y finalmente Loella con la llave.

No miró atrás.

Pero cuando pasaron junto a *Papá Pelerín* se detuvo un instante. Nunca se le había ocurrido, pero ahora pensó que sus brazos abiertos parecían como si quisieran abrazarla. Entre ellos se hubiera sentido segura. Si hubiera seguido sus impulsos, habría corrido hacia él; pero se contuvo.

Esas cosas no se hacen.

—Deberían quitar de ahí a ese horrible espantapájaros. Resulta ridículo en medio del bosque —dijo Agda Lundkvist.

—A mí me parece simpático —dijo una de las señoras—. Y se ve que es muy fuerte. Resistirá el invierno.

Llegaron a los coches.

Rudolph y Conrad iban con Agda Lundkvist y su marido. Todo el tiempo estuvieron riendo y charlando. Lo que pasaba no les daba miedo; al contrario, les gustaba. Pero cuando vieron que Loella no iba con ellos, se echaron a llorar. Los consolaron diciéndoles que su hermana iría a verlos cuando quisieran. Entonces sólo pensaron ya en la aventura que suponía un viaje en coche. Cuando éste empezó a andar, saludaron a su hermana riendo y agitando las manos por la ventanilla.

Loella los siguió en el otro coche con las señoras del Patronato de Menores.

6

LOELLA nunca había estado en una verdadera ciudad. Esto puede parecer extraño, ya que no vivía muy lejos de ella; pero la línea del tren no pasaba por su pueblo. Había que ir en autobús hasta la estación más cercana, que quedaba a unas doce millas, y resultaba bastante complicado. Loella había ido con su madre en el tren alguna vez, a comprar zapatos; pero sólo hasta un par de estaciones más allá, nunca hasta la ciudad.

Por eso la veía por primera vez, envuelta en las nieblas de noviembre, cuando llegó en el coche del Patronato de Menores.

Iba sola en el asiento de atrás. Y como las señoras iban en el delantero, no podía oír mucho de lo que decían. Mejor, porque aún se sentía muy débil. No conseguía reponerse de la impresión que le causó verse atrapada por sorpresa en su cabaña, acorralada, vencida. No quería acordarse. Miraba por la ventanilla.

Qué extraño era todo...

Avanzaban lentamente por un camino recto, interminable. Quizás fuera una calle, pero no se parecía en nada a las de su pueblo. No había jardines, sólo bloques de casas a cada lado, tan juntos que ni siquiera se podría meter una mano entre ellos. Enormes ventanas sin cortinas. Sí, realmente extraño...

Había muchas luces encendidas por todas partes y una larguísima fila de farolas flanqueando la calle.

También se veía luz en todas las ventanas. ¡Qué despilfarro! En muchos edificios había carteles luminosos con enormes letras rojas, verdes, amarillas.

El coche se detuvo un momento y vio algo horrible. En un escaparate había tres mujeres increíblemente delgadas con vestidos muy llamativos. Daba miedo mirarlas porque no se movían. Sus manos eran blancas, huesudas como las de los fantasmas y adoptaban posturas absurdas y rígidas. En las caras de las tres había una sonrisa idéntica. Parecían personas que se hubieran quedado petrificadas por un mágico poder. Pero la gente que iba por la calle las miraba como algo natural. Sobre el escaparate, un nombre, «Eriksson», estaba escrito en grandes letras verdes.

El coche arrancó de nuevo. Loella se recostó en el asiento. ¡Cuántas luces! ¡Cuánto ruido! Como para dejar sordo a cualquiera. Era como estar soñando y no saber si lo que pasaba era horrible o hermoso. Quizás las dos cosas a la vez, quizás ninguna. Pero en cualquier caso era irreal y fatigoso.

Miró hacia afuera otra vez.

¡Dios mío, cuánta gente! Nunca hubiera imaginado que podía haber tal cantidad.

Se echó hacia atrás y cerró los ojos. No quería ver nada más.

Quería dormir.

La primera noche que pasó en el *Hogar de los Niños* durmió como nunca. En la ciudad todo era tan terriblemente nuevo y extraño... Sólo durmiendo podía entrar en esta nueva vida.

Le dieron un cuarto para ella sola. Era bonito: con una cama, una mesa, sillas y un armario.

Allí había dieciséis niños de distintas edades, desde tres años hasta dieciséis. Loella se convirtió en el número diecisiete. Los otros estaban de a dos o más en cada habitación. Ella era la única que disponía de una para ella sola.

El *Hogar* estaba en una calle de las afueras, a unos diez minutos, andando, del centro de la ciudad. Era un edificio grande, de madera verde, con un gran jardín alrededor.

La directora se llamaba Svea Sjöberg; pero la mayor parte de los chicos la llamaban tía Svea y los pequeñitos, mamá. Uno de ellos, bromeando, le decía Madre Svea. A ella le daba lo mismo. Ni siquiera le molestaba que una de las chicas mayores se empeñara en llamarla señorita Sjöberg, con tono altanero y seco, como si apenas la conociera.

Cuando estaba de pie o andando, parecía bajita, pero sentada parecía alta. No era ni muy joven ni muy vieja. A pesar de que su mirada era seria y su boca severa, tenía una expresión dulce. Llevaba el cabello recogido en un gran moño bajo y no era ni rubio ni oscuro, sino algo entre medias. Tenía una voz grave y tranquila y nunca levantaba el tono. Era agradable escucharla. Y, poniendo atención, se podía oír el eco de una risa detrás de casi todo lo que decía.

Tía Svea era de esa clase de personas que a uno le llegan a gustar a poco que se lo proponga; pero a veces uno no quiere.

Durante algún tiempo, Loella no quiso. No quería sentir afecto por nadie nunca más; pero aprendió a estimar a tía Svea y a

60

considerarla como alguien firme y sincero en medio de la falsedad de este mundo.

Contrariamente a lo que Agda Lundkvist y los demás esperaban, Loella no creó conflictos. Había decidido incorporarse a la vida del *Hogar* sin armar escándalos. Se adaptó sin oponer la menor resistencia, plácidamente; pero nadie logró saber jamás qué pensaba.

Agda Lundkvist, que no había ahorrado palabras para describir el carácter salvaje e indomable de Loella, estaba bastante fastidiada porque la gente podía pensar que había mentido.

Pero lo cierto es que los pensamientos y opiniones de Loella no cambiaron, aunque su comportamiento fuera distinto. Lo contrario le hubiera resultado muy difícil. Fuese donde fuese, llevaba con ella el mundo del bosque. ¡Y había en la ciudad tantas cosas que no podía comprender!

Lo más curioso de todo, que no fuese necesaria la fuerza. No había que luchar para vivir. Allí no se trabajaba de veras, no se hacía casi ningún esfuerzo.

Las habitaciones se calentaban solas. La luz se encendía sólo con apretar un botón, como en las tiendas de su pueblo. El agua salía caliente del grifo.

En la ciudad no había fuego y ella lo

echaba de menos. Le parecía imposible vivir sin fuego, sin las llamas vivas que dan luz. Esa luz muerta que salía de las casas, metiéndose en cada grieta, en cada rincón, convertía a la gente en sombras grises y borrosas. Algo que daba miedo.

Y algo más: no había silencio. Ruido siempre, más cerca o más lejos. El de la calle o el de la casa. Nunca la calma suficiente para escuchar los sonidos de la vida. En su cabaña podía echarse en la cama y oír los delicados crujidos que surgían alrededor. Y preguntarse de dónde vendrían. Aquí todo se ahogaba en un enorme barullo. Era como para ponerle los pelos de punta a cualquiera.

¿Y el aire? Allí no había aire. Sólo olores. Humos, más bien. Humo de gasolina, de las fábricas, que se tragaban los exquisitos perfumes de la hierba, la nieve, el sol. ¿Cómo podía la gente respirar si no había aire?

Y andar por la ciudad era fatigoso para alguien acostumbrado al campo. Aunque parezca incomprensible, Loella, al principio, tropezaba a cada momento. Era como si el duro y liso pavimento de la ciudad la rechazara. Ella estaba habituada a correr por senderos escabrosos y torcidos. Sus pasos iban de acuerdo con ellos, pero no con las calles de la ciudad; pero poco a poco se fue acostumbrando.

Sin embargo, lo más difícil fue acostumbrarse a la gente de la ciudad. Le chocó que hubiera tanta. Nunca se le había ocurrido pensarlo. Como en su pueblo eran más bien pocos...

Lo más terrible era que la gente nunca se saludaba. En su pueblo, aunque uno se cruzara con alguien poco simpático, siempre le dirigía un movimiento de cabeza, por lo menos. Aquí se limitaban a mirarse. Y a veces, ni eso siquiera.

Al principio no podía comprenderlo y saludaba como tenía por costumbre; pero tuvo que dejar de hacerlo porque la miraban como si fuera la tonta del pueblo o algo peor.

Ya había oído decir que los habitantes de la ciudad eran muy especiales. En su pueblo los consideraban con cierta conmiseración, como si no estuvieran del todo en su juicio. Y quizás fuera injusto, porque por allí iban tan pocos que apenas si los conocían.

Cuando una frambuesa cuelga en su rama, en el bosque, es redonda y roja; tiene su propia forma y color. Pero cuando alguien la coge y la echa en una cesta, entre cientos más, forma parte del montón, desaparece. La niña, tropezando en el pavimento de la ciudad y saludando a los desconocidos, se sentía como la frambuesa en la cesta.

7

UNO de los primeros días que Loella pasó en el *Hogar*, tía Svea la llevó a ver al director de la escuela de la ciudad para ocuparse de su educación.

Este tema, antes, había sido causa de muchos jaleos. La policía había ido a buscarla un par de veces pero tuvieron que abandonar su propósito. La habían citado para examinarse en primavera y en otoño y también entonces tuvieron que ir por ella.

Pero aprobó todas las asignaturas en los exámenes. No eran tan difíciles como decían. Le dieron libros para que estudiara por su cuenta. Era una tontería, pensaba, hacer un montón de leguas cada día cuando uno puede estudiar igual en casa.

Pero ahora estaba en la ciudad y, como la escuela quedaba cerca, no había ninguna razón para no ir. No tenía nada contra la escuela ni le suponía ningún problema. Cuando se tienen tantos y tan serios como era su caso, la escuela no es motivo de preocupación. Lo consideraba como algo natural y lógico.

El director vio las notas que había obtenido en los exámenes y dijo que eran buenas. Luego le hizo varias preguntas que ella contestó correctamente. Entonces le preguntó cómo era que nunca había ido a la escuela y ella se lo explicó. El sonrió. Era muy simpático. Le hizo más preguntas, casi todas referentes al bosque, y ella le contestó.

A lo único que no hubiera podido responder amablemente era a la cuestión sonrisas. La gente de la ciudad sonreía muchísimo. A cada momento y aunque no hubiera motivo. En su pueblo lo hacían sólo si había una razón. Era igual que la luz, que aparecía apretando un botón. Y no se puede sonreír así. Luz sin llamas, sonrisas sin motivo... era absurdo. Su cara era incapaz de producir sonrisas así. Pero, aparte de eso, el director le cayó muy bien.

Dijo que Loella iría a una clase con chicos de su misma edad y que su maestra sería la señorita Skog. Las aulas estaban en un edificio más pequeño, al otro lado del campo de deportes.

La acompañó hasta allí.

El campo de deportes estaba lleno de chicos que corrían sobre la nieve esponjosa y saludaban al director. Sonó el timbre indicando el final del recreo y todos se dirigieron a la puerta de entrada. Los chicos se precipitaron por los pasillos.

El director dijo unas palabras a la señorita Skog, hizo un gesto amistoso a Loella y se marchó. Ella se quedó inmóvil junto a la mesa de la señorita mientras los chicos entraban en la clase, atropellándose unos a otros. Se fijaron en Loella, pero ella miraba por la ventana, imperturbable. La señorita Skog le indicó uno de los bancos delanteros.

En seguida empezó la clase. La señorita Skog no le prestó mucha atención, cosa que era de agradecer. Se limitó a decir a sus alumnos el nombre de Loella y que era una nueva compañera. Comenzaron con aritmética y Loella no tuvo ninguna dificultad en seguir las explicaciones. La maestra la trataba como si hubiera estado siempre en su clase.

Loella pensó que era muy guapa: la cara sonrosada, los ojos azules y el cabello dorado. Sus manos eran blancas, pequeñas y finas. Olía estupendamente a jabón caro. Sí, era guapísima. Y todo en ella era delicado. También parecía algo orgullosa. Mantenía erguida su bonita cabeza y su voz tenía un timbre claro y muy distinguido. En sus ojos azules se veía firmeza y voluntad. Pertenecía al mundo de la ciudad, no cabía ninguna duda; pero su apellido era Skog, que en sueco quiere decir «bosque»...

Un nombre que ni pintado para ella.

Durante el siguiente recreo, como por arte de magia, se formó un círculo de curiosos alrededor de Loella. Los chicos la rodearon, pero a distancia. Era la chica nueva que todos miraban sin tener el coraje de acercarse a ella.

Y lo que más despertaba su curiosidad era que ella no les prestaba atención.

Se quedó quieta en el mismo sitio, dándoles la espalda, inmóvil como una estatua que llevara cientos de años en la misma plaza. Como alguien que ha visto y oído muchas cosas en este mundo y conserva su dignidad y sus recuerdos. Y no lo fingía: se sentía de verdad ajena a cuanto sucedía allí. Sus ojos oscuros se perdían, serenos, en un punto lejano.

Pero como las estatuas de las plazas suelen estar rodeadas por bulliciosas bandadas de palomas, Loella se encontró de pronto en medio de una chillona algarabía.

Estaban jugando al marro, le dijeron a voces. ¿Quería estar en el equipo de Kerstin o en el de Inga? Se notaba que habían estado discutiendo entre ellos. Sus voces sonaban excitadas. ¿Qué pretendían dirigiéndose a ella?

No es fácil mantener la calma de una estatua y Loella tampoco se lo propuso. Echó la cabeza hacia atrás y su pelo se alborotó más aún. Con los ojos brillantes, se lanzó como una flecha entre el montón de chicos.

Entonces empezó una febril caza por todo el patio del colegio. Adelante, atrás, en zig-zag, espirales, círculos, de un lado a otro, arriba y abajo. Pero nadie podía atrapar a Loella.

Cuando sonó el timbre y volvieron a clase, acalorados y sin aliento, ella ya estaba junto a su banco, como si nada.

La clase siguiente era de dibujo.

Le dieron a Loella una caja de lápices de colores y unas cuantas hojas grandes de papel.

—¿Qué os gustaría hacer hoy? —preguntó la señorita Skog—. ¿Tenéis alguna idea?

Un chico levantó la mano y preguntó si podían hacer un dibujo para el *Día del Padre*, que era precisamente al día siguiente.

—Desde luego —dijo la señorita—. Pero los que quieran pueden dibujar otra cosa. Lo que más les guste.

—Sí, porque yo no tengo papá —dijo un niño pequeño, algo avergonzado—. No tengo a quien dárselo.

—Podéis dibujar cualquier cosa, lo que queráis —repitió la señorita y empezó a explicar cómo hacer los dibujos para el *Día del Padre.* Debían dejar en lo alto de la hoja un espacio para escribir *Para papá,* con la mejor letra que pudiesen. Pero cada uno debía decidir el tema. Ya podían empezar.

Para Loella no era nada fácil. Le gustaba mucho dibujar. Ese no era el problema. Lo que no sabía era qué. Algo para el *Día del Padre,* no. Tampoco tenía a nadie a quien dárselo. ¿O sí?

De repente recordó las palabras de Agda Lundkvist y se estremeció. Su padre la quería, pero no le habían permitido tenerla con él. Y sufrió mucho por eso. ¡Claro que tenía un padre! Existía en algún lugar de la tierra. Y, además, era igual a ella.

Su corazón empezó a palpitar fuertemente. Si era como ella, vendría a buscarla. Porque ella, cuando se proponía algo, era capaz de todo para conseguirlo. Sí, vendría pronto...

Ya no le quedaba la menor duda de que su padre llegaría en cualquier momento.

Tía Adina solía decir que todo lo que pasa tiene un oculto significado. Antes, Loella no lo comprendía. No podía comprender, por ejemplo, qué significado oculto podía haber en la aparición de Agda Lundkvist y en que hubiera tenido que irse a vivir a la ciudad. Ahora empezaba a sospecharlo...

Agda Lundkvist tenía que presentarse para que Loella supiera algo acerca de su padre. Y probablemente ella tuvo que ir a la ciudad para encontrarse allí con su padre. Sabía que él estaba en el mar, pero vendría igual.

Todo es muy sencillo cuando uno consigue comprenderlo. Por eso le resultaría más fácil vivir en la ciudad ahora que sabía por qué estaba allí. Sólo debía tener paciencia hasta que papá viniera a buscarla.

¡Por fin lo sabía!

Y naturalmente que podía hacer un dibujo para el *Día del Padre*. Tenía alguien a quien dárselo. No importaba que no lo recibiera al día siguiente. Se lo daría cuando viniera, diciéndole: «Lo hice pensando en ti, para el *Día del Padre*». Y entonces él se pondría muy contento.

Empuñó el lápiz y escribió *Para papá* en lo alto del papel y en letras rojas. Alrededor de las letras pintó flores. Quedaba muy bonito.

Se quedó pensando unos instantes y luego dibujó un camino que atravesaba la hoja de

70

arriba abajo. A cada lado del camino puso hierba, hierba verde con muchas flores en medio, anémonas en su mayoría. Precioso.

Volvió a pensar y en seguida empezó a dibujar una figura en el extremo del camino.

Era un hombre. Llevaba pantalones negros y camisa azul. Primero lo dibujó de frente, pero no le quedaba bien. Tuvo que hacer los ojos un montón de veces y a pesar de eso no conseguía mejorarlos. Y estaba segura de que no se parecían a la realidad. Agda Lundkvist había dicho que era guapo como un artista de cine y aquel hombre no lo era, por mucho que se esforzara.

Decidió pintarlo de espaldas. Así, además, le podría hacer el pelo. Tía Adina le había enseñado una forma estupenda de dibujar el pelo rizado. Primero se hacía una fila de redondelitos para un lado. Encima se ponía otra fila de redondelitos, pero para el lado contrario. Y así hasta cubrir toda la cabeza. Quedaba como los rizos de verdad. Fantástico. El pelo se lo pintó castaño, mezclando un color más claro y otro más oscuro, porque no sabía exactamente de qué color era el pelo de papá.

Sí, ese hombre podía ser muy bien «tan guapo como un artista de cine» porque, de espaldas al menos, era guapísimo.

Pensó otra vez. El camino era muy largo y el hombre estaba en la punta. La parte de abajo quedaba vacía. Hacía falta algo más. ¿Alguien que también anduviera por allí, quizás? Sí... era una buena idea.

Dibujó una niña que caminaba hacia el hombre. Debían encontrarse. La niña llevaba una chaqueta de punto verde, muy grande, y un largo collar de cuentas rojas. Muchísimas. Las contó y eran ochenta y siete. Tenía el pelo largo y negro, y esta vez no tuvo problemas con la cara porque sabía perfectamente cómo la.tenía.

Muy bien. Estaba satisfecha de haberse dibujado con su ropa de siempre y no con la que le habían dado en el *Hogar*, muy bonita, sí, pero que no era suya. No hubiera quedado bien en un dibujo para el *Día del Padre*.

Reflexionó un segundo más y luego dibujó un enorme ramo de anémonas en la mano extendida de la niña. Destacaban, brillantes, sobre el camino oscuro.

Observó su obra. Estaba muy, pero que muy bien.

Para entonces todos habían terminado y la señorita Skog iba y venía entre los bancos mirando los trabajos. Los levantaba para que todos pudieran verlos y los más bonitos los colgó en la pared. Cuando le tocó el turno al

72

de Loella y lo enseñó, hubo un murmullo de admiración en la clase. Lo que más les empresionaba a sus compañeros era el pelo. Le preguntaron cómo lo había hecho.

Y la señorita Skog dijo que se veía muy bien que la niña era Loella.

—¿Pero quién es el hombre del pelo rizado? ¿Un príncipe? —preguntó.

—Es mi padre —contestó Loella.

—¿Y tiene de verdad una melena tan bonita? —suspiró una niña—. ¡Qué suerte!

La señorita Skog quiso poner el dibujo en la pared, pero Loella dijo que no. ¿Por qué? Se lo podría llevar cuando terminara la clase, dijo la maestra. No, ella no quería verlo en la pared. De repente sintió miedo y lo escondió en su pupitre. No, nadie debía verlo nunca más.

De pronto, todo le parecía terriblemente frágil: papá, el dibujo, todo... Como si pudiera disolverse en el aire y desaparecer en cualquier momento. Y eso no debía suceder. Había encontrado un significado y tenía que cuidarlo.

8

AGDA Lundkvist vivía sólo unas calles
más allá del *Hogar de los Niños,* así que no
estaba lejos de Rudolph y Conrad. Al principio Loella iba a verlos casi todos los días,
pero después dejó de ir tan a menudo.

Cada vez que iba se ponía triste. Y no por
culpa de Agda Lundkvist. No se puede decir
que se portara mal. Cuando Loella estaba
con los niños, aprovechaba para salir de
compras o recibía a algunos amigos y toma-
ban café en el cuarto de estar mientras la
niña se llevaba a sus hermanos de paseo o
jugaba con ellos en la cocina. Siempre le
daba un vaso de naranjada y un bollo.

Agda Lundkvist no había dicho una sola
palabra acerca de lo sucedido cuando fue a
buscar a los mellizos. Parecía como si inten-
tara comprender los sentimientos de Loella y
la trataba amistosamente, aunque guardan-
do cierta distancia. Y era buena con los

niños. A veces daba la impresión de ser dura y malhumorada, pero nunca con ellos.

A Loella seguía sin gustarle, pero no era culpa de Agda Lundkvist si se ponía triste. Era otra cosa. Simplemente, estaba celosa.

Agda Lundkvist tenía un hijo de cinco años, Tommy.

Era un crío sorprendente, enormemente gordo, como si lo hubieran inflado. Y a pesar de eso, no se estaba nunca quieto. Por el contrario, brincaba constantemente, con ritmo ligero, casi gracioso. Tenía las mejillas redondas y coloradas y unos ojos azul claro donde brillaba alegría y afecto hacia todos. Quizás estaba tan contento porque en el mundo hay muchas cosas buenas para comer.

Loella estaba celosa del gordito Tommy. Desde que apareció en la vida de Rudolph y Conrad, los pequeños no tenían ojos para nadie más. Lo admiraban. Estaba claro que los tres hacían muy buenas migas. Ella era una extraña y eso era difícil de soportar.

Y sin embargo era una suerte que sus hermanos estuvieran con Tommy. Si no hubiera sido por él, los mellizos no lo pasarían tan bien en casa de Agda Lundkvist.

Era triste reconocer que ni los niños ni los adultos son muy fieles; pero es más fácil perdonar la infidelidad de los niños que la de los adultos.

Debía tratar de comprenderlo, pero aun así no era divertido ir a visitarlos cuando apenas si le hacían caso.

Había muy poco que hacer en la ciudad. El tiempo se escurría entre los dedos lentamente. Si no hubiera sido por la escuela, no hubiera podido soportarlo. Los domingos eran inaguantables.

En el *Hogar* no había nadie de su edad. Dos chicos tenían trece años, pero hacían todo lo posible para demostrar su desprecio por las chicas. Había también algunos de dieciséis. No prestaban la menor atención a los más pequeños, excepto cuando los necesitaban para mandarlos a algún recado. Casi siempre para comprar cigarrillos. Era irritante ver cómo los mangoneaban y cómo ellos se sentían orgullosos de que les encargaran esa misión, hasta el punto de pelearse por ser los elegidos.

Loella lo juzgaba incomprensible.

También en el *Hogar* estaba aislada. Hubiera podido hacer algunos amigos si de verdad se lo hubiera propuesto, a pesar de la diferencia de edad. Muchos le demostraban cierto interés; pero ella había nacido desconfiada y era incapaz de aceptar a nadie sin haber tomado antes sus precauciones.

Por las noches, después de cenar, solían reunirse en el gran salón. Tía Svea les ayudaba a hacer los deberes, si les hacía falta; escuchaban la radio y jugaban. Varias veces tía Svea trató de que Loella participara, pero ella se negó. Se daba cuenta de que tía Svea, preocupada, se preguntaba la razón. ¿No estaba contenta allí? ¿Tenía vergüenza? ¿Miedo?

Nada de eso. Loella no pretendía molestar a tía Svea; simplemente, no le interesaba nada de lo que ocurría a su alrededor. Quería que la dejaran sola.

Lo más duro de soportar no era la soledad, sino no tener nada que hacer. Y era inútil decírselo a nadie. Todos creían que había muchísimo que hacer en la ciudad. Lo único que se necesitaba era escoger. Era imposible que nadie se aburriera. Constantemente hablaban de maneras de pasar el tiempo. ¿Pero es que uno debe dejar que pase el tiempo? No, hay que utilizarlo. Pero no lo comprendían. Sus vidas eran mezquinas, en opinión de Loella, al menos. Porque ellos, sorprendentemente, parecían creer que lo pasaban muy bien.

Un día recibió carta de tía Adina. Ya estaba en casa, pero aún no tenía la pierna lo bastante fuerte como para poder andar, decía. Estaba preocupada por ellos y la cabaña le pareció muy triste cuando descubrió que se habían marchado. Y preguntaba, inquieta:

«Esa señora que tiene a los niños, es buena? Me han dicho que es una amiga de tu madre aunque yo nunca la oí nombrarla, pero eso no quiere decir que no sea buena. ¿Y cómo es el hogar pequeña? Me lo pregunto muchas beces, espero que sean Buenos contigo».

También escribía frases de aliento. «Nunca se sabe lo que puede pasar. Todo lo que pasa tiene un significado, sabes que siempre lo digo y debes aceptarlo sin quejarte demasiado».

Esta vez Loella supo perfectamente de qué hablaba tía Adina y su carta le dio muchos ánimos. Tía Adina decía también que si algo marchaba mal se lo escribiera en seguida y le mandaba diez coronas «sólo para que te pongas contenta».

Loella le contestó en seguida. Escribió una carta muy larga contándole todo. Decía que los tres estaban bien. Le habló de Tommy, aunque no le confesó que a causa de él se sentía algo postergada. Hablaba del colegio y del *Hogar* sin quejarse; pero no pudo evitar un comentario sobre las cosas tan raras que pasan en la ciudad.

78

«Un día entré en la cocina. Aquí no tienen un fogón para encender el fuego. No hacen más que apretar botones y guisan sin fuego. Pero calienta lo mismo. Son muy haraganes. La gente de la ciudad es la más perezosa que conozco. Ni siquiera sacan la basura fuera de la casa. La echan en un lugar que llaman vertedero, así que figúrate cómo olerá dentro de poco. Supongo que por esta razón hacen las casas cada vez más altas. Pronto toda la ciudad estará sobre un montón de basura que llegará hasta el cielo. Y después de todo, es una manera de llegar allí. No creo que haya otro camino si vives como vive aquí la gente. Una vida que no me gusta nada».

9

Loella ya no estaba sola en su cuarto. Pusieron en él otra cama. Y llegó una nueva niña.

Se encontró inesperadamente con esta novedad un día, al regresar de la escuela. Nadie le había dicho nada. La chica estaba sentada en la cama cuando Loella abrió la puerta. No se levantó ni dijo *hola.* Se limitó a dirigir a Loella una mirada indiferente.

Habían sacado los cajones del armario y una de las empleadas del *Hogar* tenía en las manos la chaqueta verde de Loella y la miraba como si no supiera qué hacer con ella.

—Estoy cambiando tus cosas a los cajones de arriba, Loella —dijo—. Así tendréis dos cada una.

Loella le arrebató la chaqueta y dijo que ella misma lo haría.

—Bueno, pero no te pongas nerviosa —dijo la muchacha—. ¿No os vais a saludar?

Esta es Mona Flink. También viene del campo. Estoy segura de que os llevaréis muy bien.

Loella no contestó y Mona dijo algo entre dientes.

La muchacha, con la mejor intención, insistió para que se dieran la mano, pero ellas no se dieron por aludidas. Loella, con expresión sombría, arreglaba sus cajones y Mona buscaba algo en su bolso.

—Me marcho —dijo alegremente la muchacha—. Así os será más fácil haceros amigas. Acordaos de que la parte derecha del armario es para que Mona cuelgue su ropa y tú, Loella, a la izquierda. Procurad no mezclar vuestras cosas y las encontraréis fácilmente. ¡Buena suerte!

Se marchó, pero en seguida abrió la puerta otra vez para decir a Mona que deshiciera su maleta y lo guardara todo en el armario en cuanto Loella terminara. Debía hacerlo antes de cenar. Entonces se fue definitivamente.

Silencio absoluto. Un tranquilo y vacío silencio en Mona. En Loella, un silencio compacto y muy elocuente.

Estaba furiosa. Abría y cerraba los cajones a golpes. Cuando acabó, miró alrededor con expresión beligerante. Mona, que seguía sentada, bostezaba. Un par de zapatos extravagantes, en mitad del cuarto, también parecían abrir la boca. Sobre la mesa, una maleta abierta y un paquete de cigarrillos vacío. Todo bostezaba. La sangre le ardía. Dio una patada a los zapatos y los mandó volando bajo la cama de Mona.

—¡Eh! ¿Qué haces, niña? —preguntó Mona. Se puso de pie lentamente y comenzó a colocar sus cosas en los cajones.

Loella no estaba acostumbrada a disponer de mucho espacio; no, en ese aspecto no había sido muy afortunada; pero es distinto cuando se vive con la propia familia. Si el *Hogar* le había parecido aceptable era, precisamente, porque tenía un cuarto para ella sola. Y ahora... Ya no tendría donde aislarse de los demás. ¿Adónde podría ir?

Abrió el cajón de la mesa que estaba junto a la ventana y sacó su cuaderno, las cartas de tía Adina, la llave de la cabaña y algunas cosas más. Ya no quería tenerlas allí. Debajo del armario guardaba una vieja lata de galletas que le sirvió de maleta cuando vino a la ciudad. La sacó y metió en ella sus cosas. Luego la ató con una cuerda y la puso debajo de su cama.

—¿Qué haces? ¿Estás de mudanza? —preguntó Mona sin obtener respuesta.

Mona iba de un lado a otro con las medias

puestas, sin zapatos. Empezaba a sentirse en su casa, a instalarse en la habitación como si fuese suya. Tenía un montón de cosas esparcidas por todas partes. Frascos, tubos, botellas, cachivaches absurdos. Y fotografías de mucha gente. En lo alto del armario puso un revoltijo de collares, pulseras y pendientes, junto con horquillas y bigudíes.

Había un estante para poner los libros. Mona puso en él tal cantidad de revistas que el estante se desplomó. Entonces metió los libros debajo de su cama, junto con sus zapatos. Tenía tantos pares que era imposible que cupieran en el armario. Y, de todos modos, estaba lleno hasta los topes. Menos mal que Loella tenía poca ropa, si no, Mona no hubiera podido guardar la suya.

La chica parecía más contenta a cada minuto que pasaba. Empezó cantando unas versiones muy particulares de los éxitos del momento. Sabía muchos, según parecía, pero sólo a trozos. Cantaba una tonada hasta donde sabía, pasaba a otra y acababa con una diferente. Y siempre fuera de tono. Sin embargo, se mostraba muy satisfecha de su actuación.

«Así es la vida... Me rompes el corazón... Los enamorados deben separarse siempre... Oh, noche lluviosa... Lloro por ti... Oh, querida, dime la verdad...»

83

Loella se puso a mirar por la ventana.

¿Qué se creía esa tonta? ¿Que el cuarto era suyo? No, si hasta tendría que pedirle permiso para compartirlo con ella...

¿No se daba cuenta de que aquella casa era de todo el mundo? No era *su* casa ni la de Mona ni la de Olle ni la de Göran. No era de nadie. Tenían de todo, pero nada les pertenecía. En su casa del bosque Loella no tenía nada, pero todo le pertenecía. Esa era la gran diferencia.

En la ciudad se podía llevar una vida cómoda, pasar el tiempo sin hacer casi nada. Y era una tentación cuando se estaba desilusionado y sin ganas de pensar.

En el bosque no había comodidades, pero la gente se mantenía despierta. Había que vencer dificultad tras dificultad, pero no se molestaban unos a otros. Aquí había que hacer lo que se les antojaba a los demás.

«Sé que me quieres, que por fin, por fin, me quieres...» canturreaba Mona.

Loella se volvió y la miró furibunda.

—¡Cállate! ¡Basta de idioteces!

Mona contestó con auténtico asombro:

—¡Oye...! ¿Con quién crees que estás hablando, niña?

Se quedaron frente a frente, haciéndose un rápido y mutuo examen. Mona vio una

84

criatura morena e insignificante, venida de quién sabe qué miserable rincón del mundo. Mona también era del campo, pero de un lugar cercano a Estocolmo y ponía mucho empeño en que se notara en su aspecto y en su manera de hablar. No le cabía la menor duda de que aquella chica malhumorada con quien tenía la mala suerte de compartir la habitación, venía de un lugar salvaje.

Y Loella vio a una gansa presuntuosa con un paquete de cigarrillos en la mano. A través de las finas medias llamaban la atención las uñas de sus pies, pintadas de un rojo rabioso. Una carrera subía por su pierna hasta desaparecer bajo la falda corta y estrecha que se completaba con un jersey más chico de lo que hubiera necesitado.

Su pelo era como una brazada de paja entre la que aparecía una cara pálida y delgada. Aunque no era fácil decir cómo sería de verdad esa cara. La pintura color naranja de sus labios era capaz de cegar a cualquiera. Y como había más color en los párpados que en los ojos, era imposible descubrir la menor expresión en su mirada.

De su boca surgió otra canción:

«Dime cuándo te veré, dime cuándo, cuándo, cuándo...»

Así fue cómo Mona Flink, de 14 años de

edad, apareció en la vida de Loella y consiguió hacerla huir, desesperada, de la habitación.

¡Fuera! ¡A cualquier sitio, con tal de no estar allí!

No llegó muy lejos. En aquel preciso instante sonó la campana llamando a cenar.

Se sentaron a una larga mesa y tía Svea comió con ellos. Mona estaba en el lado opuesto al de Loella y un poco más a su izquierda. Los demás chicos la miraban con curiosidad y los mayores con cierto grado de admiración. Ella lo notaba y aumentó su seguridad en sí misma. Abrió la conversación con unas cuantas observaciones generales sobre la vida en el campo. Así pudieron saber que lo consideraba «lo último» y «triste como la muerte».

—No, morirme de aburrimiento no es para mí —dijo—. Me gustan los lugares donde haya movimiento, vida...

Muchos estuvieron de acuerdo con ella, pero tía Svea dijo que tal vez se llevaría una desilusión porque en aquella ciudad no pasaba casi nada.

—Sí, ya lo sé... —dijo Mona, comprensiva—. Se parece bastante a un cementerio, pero ya me encargaré yo de que pase algo.

Miró alrededor y apreció satisfecha las miradas de admiración de los chicos.

—Hay que vivir la vida —dijo mecánicamente, bajando los ojos de modo que se pudo ver el violento azul de sus párpados. Un expresivo chasquido de lenguas indicaba que sus vecinos apreciaban sus sabias palabras, pero que ahora dedicaban su atención al guiso de repollo.

Tía Svea miraba a cada uno de los chicos. Sus ojos se detuvieron un momento en la cara morena de Loella, que aún tenía una expresión agresiva. Tía Svea no dijo nada, pero estaba preocupada. El *Hogar* estaba lleno hasta los topes. Por eso no le había quedado más remedio que poner a Mona con Loella, que era la única que tenía una habitación para ella sola. ¿No se habría equivocado? ¿No hubiera sido mejor buscar otra solución? Decidió esperar hasta ver cómo marchaban las cosas entre las dos. Había pensado que Mona y Loella podían tener mucho en común ya que las dos eran del campo y su diferencia de edad muy pequeña.

Pero no se hacía muchas ilusiones al respecto; casi ninguna. Por lo visto, vivir en el campo podía significar algo muy distinto para unas u otras personas.

Por la noche Loella estaba sola en su cuarto. Mona habría salido o estaría con los chicos. No lo sabía. A veces los mayores se reunían para poner discos después de cenar. Les permitían usar el tocadiscos. A los niños no les dejaban unirse a ellos, pero Mona, seguramente, sería bien recibida.

No volvió hasta bastante tarde. Loella se había acostado temprano para poder usar el baño a sus anchas. Pero no dormía aún.

La puerta se abrió bruscamente y Mona irrumpió en la habitación silbando. Encendió la luz del techo.

—¿Duermes, niña?

Loella fingía dormir con la cara vuelta a la pared.

Mona se quitó los zapatos ruidosamente y empezó a desnudarse. Entre canto y silbido, bostezaba. Desapareció en el baño, estuvo chapoteando allí un buen rato y luego apagó la luz y se metió en la cama.

Pero dejó encendida la lamparita de su cabecera y empezó a hacer algo. Fuese lo que fuese, debía de ser bastante fastidioso, porque refunfuñaba y a veces hasta parecía quejarse.

Loella hizo como que se daba vuelta, dormida, y espió a Mona cautelosamente, abriendo apenas los ojos.

—Si estás despierta, podrías echarme una mano...

Mona estaba sentada en la cama, con las

piernas dobladas y un espejito haciendo equilibrios sobre sus rodillas. Tenía la cabeza llena de rulos de todos colores. Le costaba mucho trabajo enrollar las mechas de la parte de atrás del cuello y eso la ponía de mal humor. Tenía un aspecto tan cómico que Loella tuvo que contenerse para fingir que seguía durmiendo y no soltar la carcajada.

Cuando Mona terminó la delicada operación, empezó a untarse la cara con una crema verde, haciendo ridículas muecas. Finalmente, cogió un frasco y un cepillito y aplicó un líquido a sus pestañas. Su cara aceitosa era todo un espectáculo a la luz de la lamparita que en seguida apagó. Bostezaba, suspiraba, tosía y resoplaba como un perrito cuando busca la postura más confortable antes de dormir. Se hizo el silencio. Poco después, Loella oyó que Mona decía con voz grave y monótona:

«Padre nuestro, que estás en los cielos, santificado sea tu nombre...»

Otro silencio... otro suspiro y la voz que decía, con profundo sentimiento:

—Y por favor, cuida a Mona, Rolland, Frille, Pip, Johnny y Maggie... y a todo el mundo. Amén. A todos menos al viejo. Amén.

Un minuto después, Mona estaba completamente dormida.

10

Luces rojas, colgadas en guirnaldas hechas con ramas de pino, dibujaban las palabras Feliz Navidad sobre la calle comercial más importante de la ciudad. Las luces lo inundaban todo con su brillo y había enanitos, árboles de Navidad y velas en los escaparates. Y música en todos los almacenes, invadidos por una fantástica multitud.

¡Qué barullo!

Y eso que todavía faltaba un mes para el día de Navidad.

Loella se sentía perdida y atemorizada por todas esas cosas maravillosas que, al mismo tiempo, la atraían poderosamente. En la ciudad sabían cómo ahuyentar la oscuridad, desde luego; pero también, y por desgracia, la nieve. No quedaba de ella más que una pasta color marrón sucio porque eran demasiados los pies que la pisaban. Pies por todas partes, revolviéndola, machacándola.

En medio de la plaza había un enorme árbol de Navidad cubierto de luces y con una estrella resplandeciente en la punta. De los altavoces salía la melodía de *Noche feliz, noche de paz...*

Por un momento Loella se sintió muy triste. Miró al cielo y no pudo ver una sola estrella de verdad entre tantas luces.

Claro, en la ciudad todo era distinto. No parecían celebrar la Navidad, sino cualquier otra cosa que llamaban Navidad para evitarse complicaciones.

Siguiendo al gentío se metió en unos grandes almacenes.

Dentro, el caos era impresionante. Del techo colgaban adornos brillantes. Un papá Noël gigantesco sobre una plataforma movía la cabeza de un lado a otro como una oveja. El tonto del pueblo resultaba inteligente comparado con él. Los altavoces llenaban el aire con canciones de Navidad y el ruido era ensordecedor.

La gente se amontonaba empujándose junto a los mostradores. Todos llevaban paquetes de colores. ¿Qué habrían comprado? Cosas inútiles, seguro.

Iban de mostrador a mostrador. Había montones de adornos para el árbol de Navidad: ropa, regalos...

Tía Adina solía poner un árbol de Navidad con adornos de papel hechos por ella misma. En la cabaña no había sitio, por eso se conformaban con unas ramas de abeto colocadas en una jarra. También ponía velas en la ventana.

Loella no pensaba comprar ningún adorno de Navidad. Guardaba el dinero de tía Adina para comprar lápices y sobres. Se acercó a un mostrador, pero había tanta gente que esperó mucho tiempo sin que nadie le hiciera el menor caso. Cada uno cogía lo que le parecía; pero ella pensaba que eso no debía estar permitido. Le habían dicho que se pagaba a la salida y no sabía cómo hacerlo. ¡En la tienda del pueblo era tan diferente...! Y mucho más sencillo. Si uno tenía dinero, lo ponía sobre el mostrador y listo. Suponiendo que tuviera dinero. No era corriente tener nada menos que un billete de diez coronas y no saber en qué gastarlo.

La única solución era esperar hasta que le dieran los lápices. Y luego ponerse en cola para pagar en la caja.

La gente parecía divertirse comprando; algo completamente nuevo para ella. Loella se aseguró de que el billete seguía estando bien doblado en su bolso. Sí, ahí estaba, gracias a Dios. Sería horrible perderlo.

En ese momento vio a Eva y Birgitta, dos niñas de su clase. Llevaban paquetes y bolsas de papel y parecían muy felices.

—¿También tú has venido a hacer tus compras de Navidad? —preguntaron a Loella arrastrándola con ellas mientras no dejaban de hablar sobre todo lo que habían comprado.

—A mí sólo me falta el regalo de papá —dijo Birgitta— y no sé qué comprarle.

—Es difícil —suspiró Eva—. El mío sólo quiere un millón de coronas y unos niños obedientes. ¿Y de dónde voy a sacar yo un millón de coronas?

Pensando en eso rieron las dos; luego preguntaron a Loella qué quería su padre y ella contestó sinceramente que no lo sabía porque no estaba en casa. Estaba siempre en el mar.

—¡Ah! ¿Es marino? Pero puede decírtelo en una carta, ¿no?

—Sí, claro, pero... —Loella estaba incómoda. Le hacían muchas preguntas a la vez y ella contestaba sobre cosas que en realidad no sabía —.Sí, papá ha estado en todos los países. —¿En todos?— Sí, naturalmente. —¿Y te escribe desde tantos sitios?— Quizás venga por Navidad, es muy fácil que venga.— Entonces te traerá muchos regalos. Y tú tienes que comprarle alguno a él. —Sí, claro. —¿Tienes cartas con sellos de todas partes del mundo?— Sí...

—¡Qué suerte! ¿Tú los coleccionas?

No, no coleccionaba sellos.

—¡Oh! ¿Me podrías dar los que vienen en las cartas de tu padre? Yo colecciono sellos y no tengo casi ninguno extranjero.

Loella decía que sí a todo. Más le hubiera valido morderse la lengua, pero ya era demasiado tarde. Eva daba saltos de alegría.

Si al menos mamá escribiera pronto desde América, tendría aunque fuese un solo sello, pensó desolada Loella.

—¿Dónde está ahora tu padre?

—No... no estoy segura. En América, quizás.

—¡Qué bien! No tengo ni un sello americano. Ojalá te escriba pronto.

Estaban en la sección de perfumería y Birgitta dijo que tenía que encontrar algo para su padre.

—Y yo —dijo Eva, nerviosa.

Miraron las cremas de afeitar y las colonias con poco entusiasmo, pero sin embargo decidieron comprar un tubo de dentífrico y uno de crema de afeitar. Entonces descubrieron un frasquito que contenía un líquido para parar la sangre cuando uno se corta al afeitarse.

—Y papá se corta siempre —dijo Eva.

—El mío también —dijo Birgitta, y cambiaron el dentífrico y la crema de afeitar por una de aquellas botellitas.

—¿Por qué no compras también una para tu padre, Loella? —preguntó Birgitta—. Todos los hombres se cortan. ¿O quizás el tuyo lleva barba?

—Sí.

Loella aceptó en seguida la idea de la barba para no verse obligada a comprar el producto.

—Entonces... ¡tengo una idea mucho mejor! —dijo Eva con entusiasmo—. ¡Mira! ¡Crema especial para barbas! También sirve para el cabello. Aquí dice que lo pone brillante y sedoso.

—Le vendrá muy bien —dijo Birgitta— porque tu papá tiene muchísimo pelo.

Loella las miró, sorprendida. ¿Cómo se habían enterado?

Ellas se echaron a reír. ¡El dibujo, naturalmente! El que había hecho para el *Día del Padre*. ¿Ya no se acordaba?

Sí, se acordaba muy bien. Tomó el tubo que sus compañeras le enseñaban y lo observó, vacilante. Se llamaba *Pop-Viril*.

—Es lo mejor que se fabrica. Lo decían en un anuncio que vi la última vez que fui al cine. ¡Le gustará muchísimo!

El corazón de Loella palpitaba ansiosamente. Sí, era un regalo precioso, estaba de acuerdo. La caja era muy bonita. Y el nombre: *Pop-Viril.* Y también ponía que olía de maravilla. A ella le encantaban los buenos olores. Recordó lo bien que olía siempre la señorita Skog. Ella y papá se parecían; quizás también a papá le gustaran los buenos olores...

Pero... ¿y si no llevaba barba? Bueno, en cualquier caso, tenía pelo. Aunque no podía estar segura. Muchos padres se quedan calvos. No, pero papá no... No podía creerlo. Sin embargo, era una tontería comprar la crema. Volvió a ponerla donde estaba.

En los ojos de Eva vio una expresión de desencanto, como si una luz se hubiera apagado en ellos. Sin pensarlo más, dijo que se la llevaba. Al tomar esta valiente decisión, sintió un sobresalto en su interior, pero Eva se puso contenta de nuevo.

—Haces muy bien. Te aseguro que es un producto buenísimo —dijo muy convencida—. Lo decían en el cine.

Les hicieron los paquetes con papeles preciosos y pagaron en la caja. No fue difícil. Una chica cogía el dinero y daba las vueltas.

El *Pop-Viril* costó cuatro coronas. Una increíble suma de dinero. Mientras Loella contaba su cambio, se acordó de algo que le había dicho tía Adina: «Cuando des algo, no des sólo lo que te sobra, sino lo bastante para *sentir* que estás dando algo.» Entonces, Loella se preguntaba cuándo le sobraría a ella algo. Ahora lo comprendía. Y supo lo que significaba *sentir* la alegría de dar.

Cuanto más pensaba en que su padre podía llegar en cualquier momento, más lo creía. Y era necesario tener un regalo preparado para él.

Estaba un poco aturdida y tenía las mejillas rojas. El *Pop-Viril* fue para ella una fuente de emociones mezcladas: ansiedad, confusión, culpabilidad, pero, sobre todo, esperanza y una secreta satisfacción. ¡Un regalo para papá!

—Pareces contenta. Es divertido comprar regalos de Navidad, ¿no es cierto? —dijo Birgitta.

—Sí. Ahora ya no tienes que pensar en él —dijo Eva, y las tres continuaron su animado recorrido entre los mostradores.

Pero Loella pensaba en papá mucho más que antes.

—¡Oh, qué sed tengo! Me voy a tomar un helado.

Era Eva otra vez. Siempre se le estaban ocurriendo cosas. Y Birgitta declaró que ella también quería un helado. En seguida llegaron al mostrador donde los vendían.

—¿Cuánto valen? —preguntó Loella.

—Según el tamaño. Yo quiero uno grande.

—Y yo —dijo Birgitta.

Les brillaron los ojos. Había cucuruchos pequeños, medianos y grandes. Loella estaba completamente decidida a tomar uno pequeño. No tenía nada de hambre, aseguró a sus compañeras. Pero cuando vio los dos maravillosos cucuruchos gigantes que les dieron a sus amigas, se dio cuenta de que ella también quería uno así.

¿Sería que se estaba volviendo loca? Los remordimientos cesaron al tener su helado entre las manos.

No conocía bien a Eva y Birgitta; no mucho, todavía. Pero estar junto a ellas, con el *Pop-Viril* en una mano y el cucurucho en la otra, en medio del gentío bullicioso, de la alegre música y las voces, lamiendo el helado lentamente para que durase más y mirándose por encima del borde del cucurucho, era una nueva experiencia; algo que valía la pena.

—El helado de nata está riquísimo, ¿verdad? —dijo Birgitta.

—¡Oh, sí!

—Es el que más me gusta.

—Y a mí —dijo Eva.

—¿Cuánto te queda todavía? Vamos a medirlos.

—Todavía te queda mucho, Birgitta.

—Y a ti también, Loella.

Sí, valía la pena. En la ciudad no había sólo tristeza, como había pensado. Existían también momentos magníficos como aquél. Era necesario conocer a los demás para descubrir cuánto tenían en común. Como ahora.

De pronto supo que aunque olvidara muchas cosas de su vida allí, aquel momento quedaría siempre en su memoria.

Y por primera vez pensó que vivir en la ciudad no era tan absurdo y miserable como había creído hasta entonces.

11

EN cuanto Loella estuvo en su cuarto, sola, sacó el regalo para papá. Quitó cuidadosamente el papel que lo envolvía, con estrellas doradas y duendecillos que bailaban, y lo alisó con la mano. Algo de la luz y la magia de los grandes almacenes parecía emanar de él. Se quedó mirándolo un momento.

El *Pop-Viril* estaba en una elegante cajita de cartón, la abrió con muchas precauciones y sacó el tubo. En él estaba enrollado un papel con algo escrito. Lo desenrolló y leyó detenidamente.

Para hombres del gran mundo, decía arriba. Eso le iba a papá perfectamente. En el papel estaba dibujado un piloto en su avión; pero andar por el aire o por el mar era casi lo mismo, para el caso. Continuó leyendo.

Había minuciosas instrucciones sobre cómo aplicar la crema, cepillar, etcétera, etcétera. Y al pie de la hoja decía algo que no comprendió muy bien: *Acentúa el atractivo masculino.*

¿Qué querría decir? Dio vuelta a la hoja y se quedó asombrada. Había otro dibujo que representaba a un hombre y una mujer. la mujer acariciaba el cabello del hombre. Parecían tontos. Y debajo:

«Ella no puede resistir la tentación de acariciar su cabello; pero usted no se preocupe. *Pop-Viril* no es pegajoso. Está fabricado con sustancias tan puras como el rocío en la hierba. *Pop-Viril* da a su cabello la encantadora suavidad de una mano femenina...»

Una profunda arruga se marcó en el entrecejo de Loella. ¿Qué significaba aquello, exactamente? Se sentó con el papel en la mano, invadida súbitamente por una terrible inquietud. No podía ordenar sus pensamientos. Todos se juntaron en uno solo. Un pensamiento obsesionante y terrible: Papá podía haberse casado de nuevo.

Podía tener otros hijos. Quizás por eso no había sabido nada de él en tanto tiempo. ¿Qué pasaría entonces? Que no volvería más, naturalmente. La habría olvidado...

No pudo continuar sentada. Se levantó y anduvo por el cuarto, arrugó el odioso papel hasta convertirlo en una bola, lo estiró des-

101

pués y acabó por romperlo en pedacitos y tirarlo a la papelera. Estuvo a punto de tirar también el *Pop-Viril,* pero se contuvo.

Antes se lo preguntaría a Agda Lundkvist. Ella estaba enterada de todo y, si papá se había casado otra vez, seguro que lo sabía. No sería fácil tocar el tema, teniendo en cuenta la poca simpatía que Agda Lundkvist sentía por su padre. Loella nunca le había preguntado nada acerca de él. Pero ahora era imprescindible. Nadie más que ella podía decírselo.

Puso el tubo de *Pop-Viril* en su caja y lo escondió en el cajón, debajo de su ropa. Luego fue a vaciar la papelera. No quería que quedase el menor rastro del asqueroso papel en su cuarto.

Después de cenar corrió a casa de Agda Lundkvist. Rudolph y Conrad ya estaban acostados y Tommy chapoteaba en la bañera.

—¡Qué tarde vienes! —se sorprendió Agda Lundkvist—. Pero pasa... No sé si los mellizos estarán durmiendo. Ve a verlos mientras termino de bañar a Tommy.

En efecto, dormían. Compartían una cama grande colocada en el comedor. Tommy dormía en el cuarto de sus padres.

Estuvo un rato mirándolos. Eran encantadores. Sonreían en sus sueños, como siem-

102

pre. Acarició suavemente sus cabecitas oscuras.

Entonces se acordó del *Pop-Viril* y suspiró con desaliento. Si papá se había casado de nuevo, lo guardaría para que Conrad y Rudolph lo usaran. Cuatro coronas no se pueden tirar así como así. Sería un pecado.

Tommy había salido del baño y daba brincos en la cama llamando a su padre. El marido de Agda Lundkvist se levantó lentamente, desde las profundidades de su cómodo sillón. Dejó el periódico que estaba leyendo y entró en el dormitorio.

Loella salía en ese momento del comedor y se encontró con él en el vestíbulo. La saludó con una sonrisa de embarazo. No se habían vuelto a ver desde el día en que ella se subió a la chimenea y le tiró la tarta de crema a la cara, pero ambos se comportaron como si nada semejante hubiera sucedido.

Era evidente que su jornada de trabajo había terminado. Se había quitado la camisa y los zapatos y andaba en calcetines. A cada momento bostezaba y se rascaba los sobacos, como si estuviera solo, y Loella decidió no quedarse allí ni un minuto más de lo imprescindible.

Agda Lundkvist salió del dormitorio mientras se oía la voz de su marido regañando a Tommy. Ese era el momento.

—¿Los niños duermen? —preguntó Agda Lundkvist.

—Sí.

—Ya me parecía. Anoche se acostaron tarde porque tuvimos visitas. ¿Quieres café?

No, no quería molestar. Dijo que había venido para preguntar qué podía regalar a Rudolph y Conrad por Navidad. Que no había sido capaz de encontrar nada a pesar de que había dado una vuelta por los almacenes.

—¿De dónde sacaste el dinero?

—Me lo mandó tía Adina —contestó Loella amablemente, aunque la pregunta la molestó, y hubiera preferido decir a Agda Lundkvist que se metiera en sus asuntos.

—¿Te refieres a esa vieja que os malcriaba tanto con sus mimos? Los mellizos están todo el tiempo nombrándola.

Loella sintió una oleada de indignación, pero pudo contenerse y no contestó.

—¿Cuánto te ha dado?

Loella se lo dijo.

—Bah, con diez coronas no se puede hacer mucho. Pero algún juguetito habrá por ese precio. Un coche, un barco... hay algunos baratos, de madera. No sé cuánto dinero mandará Iris desde América. Ahora tiene mucho. Seguramente recibiremos unos cuan-

104

tos dólares por Navidad. ¿Has tenido noticias suyas?

—No.

—Yo tampoco. Iris nunca ha sido muy aficionada a escribir, pero sería interesante saber qué dice. Aunque no es para fiarse. Siempre pinta las cosas mejores de lo que son. Tiene mucha imaginación. En eso te pareces a ella. En todo lo demás eres como tu padre.

Loella dio un respingo y de pronto se hizo toda oídos. Llegaba la ocasión de preguntar lo que le interesaba.

—¿En qué me parezco a papá? —dijo, con el tono más indiferente que pudo.

Agda Lundkvist la miró, pero no contestó en seguida. Su habitual expresión del mal genio dejó lugar a otra de superioridad. Con una forzada sonrisa dijo:

—Más valdría que preguntaras qué diferencias hay entre tú y él. Sería más fácil contestarte, porque no veo ninguna. Eres clavada a él, la misma cara, el mismo carácter. Y esos ojos tan oscuros... ¡Qué le vamos a hacer! Supongo que tiene que haber gente como vosotros, aunque sólo sea para que la vida resulte un poco más insoportable a la gente normal.

Esto pretendía ser una broma y se rió de

buena gana. Loella, como si no se hubiera enterado, esperaba hasta poder hacer la siguiente pregunta.

—¿Dónde está ahora papá? ¿Se ha vuelto a casar? —dijo displicentemente.

Agda Lundkvist la miró fingiendo una enorme sorpresa y otra vez soltó la carcajada, como si de repente todo le resultara enormemente cómico.

—¿Casado? ¿Si se ha casado? —rió—. ¿Quién se va a querer casar con él? No... eso no tiene ni pies ni cabeza. Tu padre es demasiado orgulloso, te lo digo yo. El muy tonto podría haber continuado con Iris, pero no... no era bastante para él. No... ¿cómo has podido pensar semejante cosa?

Aunque las palabras de Agda Lundkvist y su tono eran bastante desagradables, devolvieron la tranquilidad a Loella. Ya no necesitaba saber nada más y se marchó de prisa.

El cariño que sentía por su padre iba en aumento. Nadie le quería. ¡Pero no importaba! Ella, sí.

12

EL tiempo pasaba. La Navidad llegó y se fue. Y lo mismo el Año Nuevo.

Loella siempre recordaría aquellas fiestas, tan distintas de las que había vivido antes.

Nunca olvidaría el ambiente de febril expectación que podía palparse en todos los sitios: los preparativos, las charlas, las idas y venidas, los regalos de Navidad.

Era muy divertido. Se había dejado llevar por el general entusiasmo, en contra de su voluntad, aunque seguía diciéndose que era absurdo esperar nada bueno de la vida en la ciudad. Pero debía confesarlo: también ella había entrado en el torbellino de aquellos días.

Y no tenía por qué lamentarlo. Recibió paquetes de mamá y de tía Adina. Mamá le mandó desde América una blusa color azul cielo, adornada con puntillas y lazos. Parecía cosa de otro mundo.

El *Hogar* resplandecía con velas encendidas por todas partes y les dieron una comida exquisita que nunca había probado.

Todo fue mejor de lo que esperaba.

Pero la víspera de Navidad, por la noche, cuando fue a acostarse, en el silencio y la soledad —Mona se había marchado a pasar las fiestas con su familia— no pudo evitar acordarse de su hogar. Se había divertido y sentía como si hubiera traicionado al mundo de los bosques que había dejado atrás. Como mamá en América.

Tenía mala conciencia. Decidió pasar por alto esta Navidad. O quizás sí podía recordarla, pero como un día de fiesta cualquiera.

Sí, la Navidad llegó y se fue. Y pasó el tiempo. Empezaron otra vez las clases después de las vacaciones y Mona regresó. No sería cierto decir que Loella la echó de menos cuando se fue, pero tampoco se sintió tan molesta como suponía al verla de nuevo. Pensar en Mona le ayudaba a ahuyentar muchos pensamientos tristes. Donde ella estaba, siempre pasaba algo. Y aunque pocas veces se quedaba en la habitación, tenía una rara habilidad para que igualmente se sintiera su presencia. Las paredes, junto a su cama, estaban cubiertas de fotos de artistas, cantantes, bailarines, que recortaba de las revistas. Y sus cosas estaban desparramadas por todas partes. La mesa se había convertido en un tocador. Siempre le estaban diciendo que la ordenara y ella lo hacía, pero en seguida volvía a estar revuelta. Loella empezó a acostumbrarse al desorden y hasta llegó a encontrarlo especialmente cómodo.

Mona fumaba. Soltaba varias bocanadas apresuradas y luego corría a abrir la ventana.

—No se lo contarás a nadie, ¿verdad, niña? —decía siempre.

No, ¿por qué lo iba a decir? No le gustaba ir con cuentos. Por lo demás, no se hacían mucho caso la una a la otra. Se hablaban poco, aunque el silencio, entre ellas, podía ser bastante significativo. Preferían no intimar. Cada una se encerraba en sí misma.

Sin embargo, sus relaciones iban mejorando. Habían decidido abandonar las armas y se respetaban mutuamente.

Mona era irresponsable, indiferente y obstinada. Se engañaba a sí misma mucho mejor que a los demás, con su lenguaje de gran ciudad, su recargado maquillaje y sus canciones de moda. Trataba a Loella como si fuera una niña pequeña.

Loella simulaba no darse cuenta y eso fastidiaba a Mona.

Cuando se peleaban, Loella le lanzaba terribles invectivas:

109

—Eres una hereje, Mona... ¡No eres una persona: eres un monstruo!

Palabras extrañas, de misterioso sentido para alguien acostumbrado al lenguaje de la ciudad. Un estremecimiento helado corría por la columna vertebral de Mona y respondía a ellas con unos cuantos insultos; pero incluso los más duros perdían su fuerza cuando Loella, gesticulando fieramente, pronunciaba su fórmula mágica: «Luna negra, flor venenosa, nido de culebras...»

A Mona le sonaba como algo macabro, como la peor de las blasfemias. Su única reacción de defensa era cantar a voz en cuello. Y todo terminaba en una disputa.

A veces Lisbeth, la empleada, tenía que entrar en el cuarto a separarlas. No se sabía cómo, pero siempre pasaba por allí cuando se estaban peleando. Poner fin a tales encuentros era para ella como una vocación. Era una mujer bajita, fornida, nerviosa, constantemente espantada por el mal que hay en el mundo, pero convencida, con una invencible fe, de la definitiva victoria del bien.

—Creo en lo bueno que hay en vosotras, niñas —solía decir—. Lo bueno...

Y saboreaba la palabra como si fuera un gran caramelo.

110

Otra de las vocaciones de Lisbeth era procurar y conseguir que los chicos se sintieran como hermanos. Y argumentaba que todos los que vivían en el *Hogar* debían formar una gran familia. Un hermoso pensamiento, sin duda, pero imposible de lograr aunque Lisbeth fuera incapaz de comprenderlo. Tía Svea, en cambio, lo comprendía; a ella nunca le habían oído nada por el estilo. Sólo a Lisbeth. Cuando ejercía de mediadora, acababa diciendo:

—Debemos tratar de ser como hermanas...

Ellas, como si no la oyeran. Pero un día Mona estalló:

—Márchese, ¿quiere? ¿Cree que podemos cambiar de hermanos como de camisa? Los padres sí se pueden cambiar, de acuerdo... pero los hermanos, jamás. No siga dándonos la lata con esa historia.

Lisbeth se quedó mirándola asombrada y jadeante, como un pez fuera del agua, y luego se marchó a todo escape. Mona se rió y preguntó a Loella:

—¿No tengo razón? ¿Tú qué opinas?

Loella asentía de mala gana. Sí, Mona tenía razón. Lo que decía era la pura verdad. Y después de oírla hablar así le resultó un poco más fácil soportarla.

Esto no significó que se hicieran amigas íntimas, más bien al contrario; pero Loella sentía que conocía mejor a Mona, aunque hubiera declarado que prefería la ciudad al campo. Un error, pero allá ella.

Lo importante es que no estuviera dispuesta a cambiar fácilmente de hermanos.

Así que Mona tenía hermanos en alguna parte y se había visto obligada a separarse de ellos. ¿Por qué? ¿Dónde estarían? Loella se lo preguntaba a veces, especialmente por las noches, cuando oía rezar a Mona y pedir a Dios que cuidara «de Mona, Rolland, Frille, Pip, Johnny, Maggie y de todos, amén... Menos del viejo... amén.» La misma oración cada noche, sin cambiar ni una palabra. ¿Dónde estaban sus hermanos? ¿Y quién sería *el viejo?*

Miraba a Mona mientras ésta se cepillaba el cabello incansablemente, cantando:

Regálame un globo, regálame un globo,
con ojos y nariz.
Y, por favor, que sea azul...

Pensaba, pensaba...
Pero nunca se atrevía a preguntar.

112

13

Un día brilló una nueva luz sobre la ciudad. El sol iluminó los tejados hasta la hora de cenar. Era un martes. Loella se acordaba perfectamente porque les dieron pasteles de nata para postre y durante un momento el sol se detuvo sobre los pasteles haciendo que la nata pareciera dorada. Ya no había necesidad de encender la luz para vestirse por la mañana.

Un día Loella se puso la preciosa blusa azul de América y el collar rojo para ir al colegio.

Las chicas se arremolinaron para admirarlos. Todas soñaban con una blusa así. ¿De dónde la había sacado?

Se la regalaron por Navidad.

¿En qué tienda la habían comprado? Venía de América.

¡Ah, claro...! ¿Y el collar también?

Sí.

Entonces Eva recordó algo.

—Te los mandó tu papá, ¿no?

Un montón de ideas se agolparon en la mente de Loella. Acariciando suavemente la delicada tela, contestó:

—Sí, me los mandó papá.

Y al decirlo sintió que a su corazón le crecían alas, como las de un alegre pajarito. Y lo más extraño es que no le parecía estar diciendo una mentira. La conciencia no le remordía aunque supiera que aquello no era verdad. ¿Y cómo puede parecer verdad una mentira? Lo ignoraba, pero de pronto la blusa se volvió más bonita y el collar brilló más que nunca.

Eva dijo:

—Prometiste darme los sellos de las cartas de tu padre. ¿Lo has olvidado?

Estas palabras volvieron a la realidad a Loella. No, no lo había olvidado, pero esperaba que Eva sí. Mamá no había escrito. Los paquetes con la blusa y los juguetes para los niños se los había mandado a Agda Lundkvist y no sabía siquiera si traían sellos.

No supo qué decir. Eva la miró, desconfiada.

—Lo mismo se los has dado a otra persona —dijo Eva—. Y eso que me los habías prometido. Tu padre te debe haber mandado un montón de cartas desde entonces.

114

Loella contestó con evasivas. No se los había dado a nadie, pero no sabía dónde los había metido. Prometió a Eva darle los sellos en cuanto su padre volviera a escribir.

¿Cómo pudo ser tan rematadamente tonta? No llegaría a sus manos ningún sello, a menos que mamá escribiera pronto, lo que era bastante improbable. Especialmente porque ella tampoco le había escrito. Ni siquiera para agradecerle la blusa y los regalos de Navidad para Rudolph y Conrad. Por lo general no era perezosa para escribir. Tía Adina recibió muchas cartas y muy largas. Pero escribir a mamá ya no le era fácil; no, no podía escribirle ni una sola línea.

Menos ahora, después de haber dicho en la escuela que la blusa se la había mandado papá. No podía agradecer a su madre algo que deseaba fervientemente que viniera de su padre y que casi sentía como si fuese así. Se había metido en un terrible embrollo.

Pero no se preocupó. Después de todo, no se iba a quedar allí para siempre. Aún quedaba un poco de nieve sucia en algunos sitios, pero pronto habría desaparecido. Empezaba el deshielo y la navegación se reanudaría normalmente. Entonces vendría papá.

Todo sería distinto.

Y a medida que los días se hacían más

largos y la primavera se acercaba, Loella se dejaba llevar por sus sueños. Mona ya no era la única en permanecer largo tiempo ante el espejo. Loella también lo hacía a menudo.

Aprendió a peinarse recogiendo su cabello en una trenza apretada y negra.

Cuando estaba a solas en su habitación se peinaba así, se ponía la blusa y se miraba un buen rato al espejo. Ya no era Loella Nilsson ni vivía en un *Hogar*, sino una extraña y misteriosa criatura con la que le hubiera gustado hacer amistad.

Esa niña era feliz porque tenía un padre y nunca lo perdería. Podía hallarse en cualquier extremo del ancho mundo; pero estaba a punto de llegar y lo encontraría...

La que estaba allí era la hija de *Papá Pelerín.* No la hija del viejo espantapájaros del bosque, sino la del verdadero *Papá Pelerín,* el que tenía que venir...

Cuando llevaba un buen rato mirando a la admirable criatura que era la hija de *Papá Pelerín*, todo cambiaba a su alrededor. El cuarto desaparecía. El tiempo se evaporaba. Y su vida cotidiana también.

En su lugar aparecía una escena mucho más hermosa. Como ésta:

Sola, por una calle de algún lugar, camina la hija de Papá Pelerín. *Pasa junto a los grandes*

116

almacenes. Hace calor, el sol brilla, pronto llegará el verano.

Llega al río y cruza muy despacio el puente. Abajo, una corriente furiosa azota el agua formando remolinos de espuma. Hay mucha gente en el puente.

De pronto, lanzan un grito de espanto. Alguien ha caído a las embravecidas aguas. Se asoman por la barandilla para mirar, horrorizados, la mesa negra donde sobresalen los blancos penachos de la espuma. Dicen que nada se puede hacer. El que se atreva a tirarse, moriría.

Una pequeña cabeza se ve luchando patéticamente en los remolinos. La hija de Papá Pelerín *no lo duda un momento. Trepa, ágil, a la barandilla y se lanza al agua.*

El remolino negro y helado la arrastra hasta el fondo del río, pero ella lucha denodadamente por mantenerse a flote. Tras enormes esfuerzos consigue llegar a donde un hombre a punto de ahogarse lucha por salvar su vida.

Llega junto a él y, con un esfuerzo sobrehumano, logra sacarlo del remolino, de otro, y otro y otro más y lo lleva hasta la orilla.

El hombre por el cual ha arriesgado la vida es dos veces más alto que la niña. Ella está agotada, a punto de morir. Pero no se muere porque entonces no seguiría estando en la historia y quiere estar, es lo más importante.

117

Entonces el hombre dice: «Me has salvado la vida. ¿Cómo te llamas?»

Ella contesta con un hilo de voz y él exclama: «¡Loella! ¡Entonces tú debes ser mi hija!»

En el puente están todos los del Hogar: *Lisbeth, Tía Svea, el director del colegio, la maestra, todos los chicos y Agda Lundkvist y su marido. Todos han oído esas palabras: «Entonces tú debes ser mi hija...»*

El sueño terminaba así.
Pero tenía otros más.

Otro día la hija de Papá Pelerín *va por la calle, pasa los grandes almacenes, cruza el río; pero esta vez nadie se cae al agua.*

Al llegar a la plaza oye sirenas. Son coches de bomberos. Muchos. Debe de haber un terrible incendio.

Sí, ahora lo ve. La casa más alta de la ciudad, la que tiene arriba unas torretas, como un castillo, está ardiendo. Las llamas la envuelven con sus lenguas gigantescas, se agitan como velas rojas en una tormenta sobre el cielo negro. ¡Qué horrible espectáculo! La gente, abajo, grita horrorizada.

Alguien dice que un hombre está atrapado por el fuego y que es imposible salvarlo. Cualquiera que se atreva a entrar en la casa está condenado a morir entre las llamas.

118

Los bomberos intentan apagarlas con las mangas, pero no lo consiguen. El fuego no disminuye; al contrario, sigue subiendo cada vez más alto.

La hija de Papá Pelerín *no vacila un momento. Se precipita al interior de la casa. La gente grita y trata de impedírselo, pero ella logra su propósito.*

Sube corriendo las escaleras, atraviesa corredores interminables, vestíbulos vacíos, habitaciones que arden. Inmensas llamas devoran las paredes y los techos, y asoman por las ventanas como flores horribles.

Por fin, agotada, llega a la torre más alta. Allí está el hombre, solo, golpeando débilmente la puerta cerrada. Y no hay llave.

El fuego ya llega hasta allí, ataca con saña la puerta y la consume en escasos segundos hasta convertirla en un montón de cenizas.

La hija de Papá Pelerín trepa a la torre y levanta al hombre casi inconsciente. Lo arrastra a través de los desnudos y ardientes corredores, los vestíbulos, las habitaciones; baja las escaleras, que se desploman tras ellos, y finalmente llegan a la calle.

Sus ropas y sus cabellos arden, pero un bombero apaga las llamas con la manga. Están empapados hasta los huesos y negros de hollín.

Las gentes del Hogar *los rodean —Lisbeth y tía Svea, el director, la maestra, todos los chicos*

119

*de la escuela y Agda Lundkvist y su marido— y
todos oyen cómo el hombre dice: «Me has
salvado la vida. ¿Cómo te llamas?»*

*Y cuando ella, con voz muy débil, dice su
nombre, él exclama: «¿Loella? ¡Entonces eres mi
hija!»*

Así, día tras día, Loella salvaba a *Papá
Pelerín* de choques, descarrilamientos, ava-
lanchas y naufragios; de accidentes aéreos y
catástrofes de todas clases. Y así llegó la
primavera, inundando el mundo con su luz.

Perdida en sus ensueños, no se mostraba
muy sociable; pero iba con paso más ligero
en sus paseos solitarios. Las calles le parecían
más atractivas y llenas de desconocidas y
maravillosas posibilidades. Algo tenía que
pasar en seguida.

«El oculto significado de todo lo que suce-
de», del que tía Adina hablaba tantas veces,
no había que seguir buscándolo. Estaba cla-
rísimo, cuando papá le decía: *Entonces tú
debes ser mi hija..*:

Aquellas palabras ahogaban el sonido de
las canciones de moda y todos los demás.
Una y otra vez resonaban en su interior y,
como haciéndoles eco, sus labios articulaban:
*Entonces tú debes ser mi hija... Entonces tú
debes ser mi hija...*

120

14

AL salir del colegio Loella solía dar un paseo por el centro. Y un día descubrió una tienda de sellos.

Se detuvo como si la hubieran sujetado. Eva preguntaba todos los días si su padre había escrito. Y, después de todo, se lo había prometido...

El escaparate estaba lleno de mapas cubiertos con sellos extranjeros. Uno o dos no costarían mucho... No llevaba dinero, pero podía entrar, preguntar y volver más tarde.

Entró en la tienda y vio detrás del mostrador a un anciano con unas pinzas en una mano y una lupa en la otra. Con las pinzas sujetaba un sello pequeñísimo y estaba inclinado sobre un gran libro. No vio a Loella.

Ella esperó callada un momento. Luego tosió ligeramente y el hombre levantó la vista.

—¿Quieres mirar este sello? Es muy interesante...

Ella se acercó y él le dio la lupa para que examinara el sello mientras lo mantenía debajo con las pinzas.

—Dime... ¿de qué color es exactamente este sello?

—Azul —contestó ella sin vacilar.

—Lo que yo pensaba —dijo el anciano rascándose la barbilla.

Volvió a sumergirse en su libro sin hacer caso de Loella.

Ella volvió a toser y él la miró.

—No dirías que es verde, ¿verdad?

—No, azul —contestó Loella muy segura.

—Sí... yo opino lo mismo.

Murmuraba cosas incomprensibles y no se sabía si hablaba con Loella o consigo mismo. Finalmente cerró el libro y se puso de pie.

Rió y su cara se llenó de mil arrugas.

—¿Sabes? Tú y yo hemos hecho un importante descubrimiento —dijo dándose muchos aires—. Sí, realmente importante...

Iba y venía tras el mostrador, frotándose las manos y repitiendo satisfecho:

—Sí, realmente importante...

Luego se detuvo y preguntó:

—¿Querías algo, por casualidad?

Loella se lo dijo. Quería saber el precio de los sellos extranjeros.

—¿Usados o nuevos? —preguntó él.

Ella pensó que debían ser usados para que se viera que venían en las cartas de su padre. Y así los pidió.

—Ajá... ¿Y los quieres de algún país en especial?

—No... me da lo mismo de cualquier sitio. De América, quizás... pero es igual. Con tal de que no sean muy caros.

El hombre abrió un cajón, sacó bolsitas, cajas y un gran sobre marrón. Lo puso todo sobre el mostrador y de ellos extrajo un montón de sellos de muchos colores.

—Aquí tienes muchos diferentes —dijo—. De América también; de todo el mundo. Algunos son muy parecidos, pero eso no importa.

Loella los miró, vacilante.

—¿Cuánto cuestan? Sólo necesito unos pocos. ¿Los de América son más caros?

—Llévate el sobre. Me has sido de gran ayuda. Te los regalo. De éstos tengo muchos; llévatelos.

Y sonreía amistosamente mientras ofrecía el sobre a Loella, que no sabía si tomarlo o no. Acabó por aceptarlo, algo confusa.

—Gracias —dijo y fue hacia la puerta.

El volvió a sumergirse en el grueso volumen. Loella dio media vuelta para darle las gracias otra vez, pero él ya ni la oía ni la veía.

123

Al día siguiente Eva recibió un sello de América. Y, a partir de entonces, otro casi todos los días y de los más apartados rincones del globo. Estaba muy impresionada.

—Tu padre te escribe muchísimo ahora —dijo a Loella.

—Sí. Se ve que tiene más tiempo.

Afortunadamente a nadie se le ocurrió pensar que el padre de Loella parecía moverse con una increíble rapidez. Hasta por el aire hubiera sido imposible recorrer la distancia que hay, por ejemplo, entre China y Brasil, de un día para otro. Y mucho más difícil todavía en barco, como había dicho Loella que viajaba su padre. Pero a Eva no le preocupaba esta cuestión. Estaba encantada con los preciosos sellos que recibía.

El valor de Loella aumentó. Estimulada por la admiración de Eva, su imaginación se puso en marcha y construyó castillos en el aire cada vez mayores.

Consiguió unos sobres y un tubo de pegamento. Escribió nombre y señas en los sobres: *Loella Pelerín* —no Nilsson— *Skogsstigen 1* —sus señas en el bosque, no en el *Hogar de los Niños*—. Puso un poco de goma en la parte posterior de los sellos, ya que habían perdido la suya propia porque eran usados.

124

En lugar de llevar al colegio sólo los sellos, empezó a llevar la carta completa diciendo que todavía no había tenido tiempo de leerla.

Abría el sobre y se iba a leer a un rincón. Luego despegaba el sello y se lo daba a Eva. Y escondía la carta.

Esta escena se repetía casi a diario. Nunca se cansaba de ella. Y llegó a representarla con tanta autenticidad que hasta llegó a creérsela. Y no por darse importancia. No sospechaba que podía despertar curiosidad o envidia en los demás. No, no lo hacía por esa razón, sino por otras muy distintas.

Cuando uno necesita convencerse de algo y no tiene pruebas suficientes para estar seguro, suele actuar de un modo insensato, como Loella; porque es más fácil creer en algo que también los demás creen. Y como ahora todos creían que las cartas se las mandaba su padre, a ella le parecía más lógico pensar que existía.

Sin embargo, no lo era. Toda la historia era falsa. Ella misma no la hubiera aceptado si se hubiera detenido a pensarlo; pero actuaba sólo por instinto, siguiendo su ilusión y dejándola crecer a su antojo.

Se limitaba a dejar en libertad su esperanza, con el secreto deseo de que todo terminara bien. Pero una mañana Max, un chico de

125

su clase, le arrebató la carta cuando fingía leerla. Sintió tal pánico que se lanzó a perseguirlo por el patio del colegio como si en ello le fuera la vida. Pero era demasiado tarde.

En realidad a él no le interesaba leerla. Sólo quería jugar, fastidiarla un poco. Si hubiera sabido lo que iba a descubrir, no lo hubiera hecho.

Cuando sacó la carta del sobre vio, más apurado que nadie, la hoja completamente en blanco. No había nada escrito en ella. Los chicos, que se habían agolpado a su alrededor, la miraron con el mismo estupor.

Loella se lanzó sobre el chico como una fiera salvaje y le dio una bofetada.

—¡Asqueroso ladrón! ¿Cómo te atreves a quitarme la carta? ¡Dámela!

A pesar de la bofetada, Max no quiso darse por vencido tan pronto.

—¿Qué carta? —dijo en tono quejumbroso—. Esto no es una carta. Es sólo una hoja de papel en blanco.

Los demás apoyaban su declaración.

—Sí, es cierto.

—Es una hoja de papel.

—Pero no es una carta...

Loella les hizo frente. Aunque sus ojos brillaban de indignación, fue capaz de decir con bastante calma:

126

—¡Idiotas! ¿Creéis que papá me escribe cartas corrientes? ¿Para que todo el mundo pueda leerlas? ¡Usa tinta invisible, para que lo sepáis!

Las dudas de sus compañeros se convirtieron en sorpresa y dejaron de murmurar. Max miraba estúpidamente el papel.

De repente apareció el director. Lo había oído todo. Loella sintió un ligero temblor. No lo había visto desde el día en que había llegado al colegio y hubiera preferido no encontrárselo por segunda vez en semejante ocasión. Le pareció que sus ojos, de un gris azulado, la miraban de un modo extraño; sin embargo, desafiante, mantuvo su mirada.

—¿Qué pasa? —preguntó él, muy serio.

Max continuaba con el papel en una mano y el sobre en la otra, atemorizado.

—Dame eso.

Pero Loella se interpuso.

—¡Es mío! —dijo con tono amenazador.

—No pienso quedármelo —aseguró el director—. ¿Pero por qué tiene Max la carta de Loella?

—Es que yo... yo sólo quería... Mire... es una carta muy rara. No tiene nada escrito. Loella dice que su padre le escribe con tinta invisible. ¿Existe de verdad una tinta así?

Max enseñó la hoja blanca y el director se

127

limitó a echarle un vistazo. Luego miró a Loella. Los ojos de los dos, al encontrarse, produjeron un chispazo, como dos espadas que chocan. El director se volvió hacia Max.

—Dale su carta a Loella —dijo, y Max obedeció, avergonzado—. Menos mal que hay maneras invisibles para que dos personas se comuniquen —continuó—. De otro modo, toda la escuela sabría ahora lo que pone la carta de Loella.

Y se marchó.

Todos pensaron que Loella había obtenido una gran victoria. Sus cartas se convirtieron en algo mucho más importante aún a sus ojos; pero habían perdido su encanto para ella. Y quizás no fuera Max el único que sintió vergüenza aquel día...

15

Tía Adina escribió preguntando si no le gustaría volver a casa y traerse con ella a los mellizos, ahora que había llegado la primavera. No existía ya ningún inconveniente. Decía que Loella no podía imaginarse lo bien que se habían arreglado las cosas, tal como se debía haber hecho mucho tiempo antes. Pero ahora estaba realmente contenta, decía; por fin tenía la conciencia tranquila.

Durante largo rato Loella estuvo tratando de descifrar el sentido de sus palabras, pero no siempre era posible penetrar los pensamientos de tía Adina, especialmente cuando tenían algo que ver con su conciencia. Dedujo que debía tratarse de un conflicto entre tía Adina y su conciencia; algo en lo que Loella ni entraba ni salía. De todos modos, todavía no podía volver a casa.

Loella le contestó diciendo que debía quedarse hasta que terminara el curso. No era cierto; los estudios le interesaban más bien poco. Si ésa hubiera sido la única razón, no hubiera vacilado en volver en seguida a su casa. La echaba mucho de menos.

Pero no podía marcharse hasta haberse encontrado con su padre. Llegaría pronto y ella debía esperarlo. Estaba convencida de que el destino la había llevado a la ciudad con ese único objeto...

Tía Adina escribió insistiendo, pero Loella no cambió de opinión.

Loella cayó enferma de gripe uno de los últimos días de marzo. Tosía y tuvo que meterse en cama. Llegó a tener fiebre muy alta y una noche creyó que deliraba porque ocurrió algo muy extraño.

A eso de las doce vio que Mona se levantaba y se vestía. Luego abrió la ventana y se sentó, inmóvil, como esperando algo. Fuera estaba oscuro. Sólo entraba en la habitación el reflejo de una farola lejana, iluminando a Mona que miraba hacia afuera.

Loella no supo cuánto tiempo duró esto, pero de pronto oyó un débil silbido. Mona se puso rápidamente de pie y, en silencio, hizo un gesto a alguien que estaba en la calle. Sus ojos y los ojos de Loella se encontraron. Inclinándose sobre ella, Mona murmuró nerviosamente:

130

—No se lo contarás a nadie ¿verdad, niña?

Entonces saltó por la ventana casi sin hacer ruido y desapareció.

Luego cerraron la ventana desde fuera, y aunque lo hicieron con mucho cuidado, se oyó un ligero golpe. Todo quedó en silencio. Poco después el ruido de un motor se desvanecía en la distancia. Loella permaneció despierta un momento tratando de imaginar qué había ocurrido realmente. ¿Mona se había escapado? La fiebre no le permitía pensar con claridad; se sentía mareada y luego debió quedarse amodorrada, porque no recordaba nada más.

A la mañana siguiente Mona estaba en su cama, como de costumbre. La ventana estaba cerrada y la persiana baja. Loella lo hubiera atribuido a un delirio de fiebre si no hubiera pasado lo mismo la noche siguiente. Entonces hizo como que dormía, pero vio a Mona marcharse y volver.

Estuvo fuera varias horas y por la mañana, al levantarse, tenía mucho sueño. Pero eso le pasaba siempre.

Una noche asomó la cabeza por la puerta diciendo:

—Oye, niña... Mi amiga Maggie ha venido a verme. ¿No te importa que nos quedemos a charlar un rato aquí?

Naturalmente, Loella no puso ninguna

objeción. Debía ser la Maggie que aparecía en las oraciones nocturnas de Mona.

Maggie entró. Era una chica regordeta, pelirroja y tan pintada como Mona. Llevaba el pelo peinado igual que ella y rociado con la misma gran cantidad de laca.

Ofrecieron a Loella caramelos de una bolsa que tenían. Luego Mona encendió un cigarrillo y lo fumó a medias con Maggie, pasándoselo de una a otra y chupando con breves y nerviosas bocanadas. Después abrieron la ventana y reían mientras echaban fuera el humo con la mano.

—¿Y qué hacemos ahora? ¡Ah, ya sé! Espera un momento —dijo Mona.

Salió de la habitación, pero volvió en seguida con un gran pliego de papel blanco de envolver y un vasito.

Desocupó rápidamente la mesa y extendió sobre ella la hoja de papel. Luego puso el vaso boca abajo y dibujó su borde con un lápiz para hacer un círculo. Corrió un poco el vaso y dibujó otro círculo. Y siguió hasta que todo el papel estuvo cubierto de círculos.

Luego escribió una letra en cada uno, hasta completar el alfabeto. Al terminar quedaban tres círculos vacíos a la izquierda. En uno escribió sí; en otro, no. El tercero quedó en blanco y puso dentro el vasito.

132

La cara de Maggie estaba roja de excitación. Se notaba que las dos eran del mismo pueblo, aunque Mona imitaba bastante bien el estilo de la ciudad en sus gestos y manera de hablar y Maggie, a pesar de intentarlo, no lo conseguía.

Mona dijo a Maggie:

—Que la niña juegue con nosotras. Con tres se mueve mucho mejor, ya sabes.

Maggie no tenía ningún inconveniente. Dedicó a Loella una sonrisa amistosa.

—Entonces, levántate, niña.

Maggie era del tipo maternal; envolvió a Loella en una manta y le puso un par de calcetines.

—Como estás malucha...

—Sí, eso, que no coja frío —dijo Mona.

Loella preguntó qué clase de juego tan raro era aquél. Ellas se echaron a reír.

—Es difícil de explicar... Ya lo verás. Tú preguntas algo al vaso mágico. Cualquier cosa que quieras saber... y los espíritus te contestan. Vamos a empezar.

—¿Tú o yo? —preguntó Maggie.

—Tú. Pregunta primero.

Maggie cogió el vasito y se lo llevó a la boca. Susurró algo dentro de él, ruborizándose, hasta que el cristal quedó completamente empañado.

—No hay que decirlo en voz alta porque entonces no sale —explicó Mona.

Maggie dejó el vaso boca abajo en el círculo vacío y colocó dos dedos en su base. Mona también apoyó dos dedos y dijo a Loella que hiciera lo mismo.

—Sin empujar. Sólo debes tocar el cristal.

Al principio no pasó nada; pero después el vaso empezó a moverse ligeramente y luego más de prisa aunque nadie lo empujaba. Se deslizaba sobre el papel sin vacilaciones, como con un objetivo definido. Fue hasta la A y se detuvo allí; luego, se movió de nuevo. Algo más rápido fue hasta la L. Se paró otra vez y siguió yendo hacia otras letras.

—A — L — B... —susurró Maggie casi sin aliento.

—E — R —susurró Mona a continuación.

—T —balbuceó Loella—. ¿Pero quién es Albert?

La cara de Maggie se puso roja como un tomate y Mona se rió, burlona.

A—M—A, deletreaba el vaso. A—O—T—R... Luego pareció vacilar. No se decidía entre la A y la B. Se echó hacia atrás y se detuvo entre las dos. Maggie se puso pálida. El vaso fue hacia la A. A partir de ahí se movió muy de prisa.

134

Albert ama a otra persona.

El vaso regresó bruscamente al círculo vacío y allí se paró. Las tres retiraron los dedos y se miraron. Los ojos azules de Maggie estaban muy tristes.

—¿Quién me habrá robado a Albert? —dijo—. Una persona indecente; eso es lo que es.

Mona sacudió la cabeza.

—No tengo ni idea... ¡Pero ya nos enteraremos! Ahora me toca a mí.

Mona susurró algo dentro del vaso. Luego lo frotó. Según dijo, para aumentar su poder. Y realmente el truco dio resultado. Empezó a moverse a un ritmo frenético.

John ama a Mona.

Se echó a reír, muy satisfecha.

—¡Quién lo hubiera pensado! ¡Johnny! ¿Qué te parece, Maggie? Es un chico estupendo, ¿no?

Sí, Maggie opinaba igual y Mona se quedó contentísima.

—Los espíritus están muy animados esta noche —dijo—. Ahora te toca a ti, niña.

Loella contestó que no tenía preparada ninguna pregunta y Maggie cogió el vaso, musitó unas palabras dentro de él y también lo frotó antes de dejarlo sobre la mesa. Parecía muy decidida. Pero no debía estar en tan buenas relaciones con los espíritus como Mona, porque el vaso se mostró muy indeciso.

—Tienes que concentrarte, Maggie. Haz la pregunta otra vez.

Maggie tomó el vaso de nuevo y se concentró con tal fuerza que parecía a punto de reventar. Cuando terminó, su cara estaba encendida; pero el vaso empezó a funcionar de verdad. Dio un par de traspiés, vaciló un poco y al fin dio una respuesta que debía contener una importante información.

Anita.

—¡Oh, la muy sinvergüenza...! —chilló Maggie furiosa, levantándose y sentándose en la silla varias veces seguidas—. ¡Pero ya veremos quién ríe la última!

—Sí, yo también creo que debe ser Anita —dijo Mona—. Los he visto juntos el sábado en el café. Estaban tomando un batido.

—¿Y por qué no me lo dijiste? —preguntó Maggie, sorprendida y disgustada.

—Porque sabía que te fastidiaría. De todos modos, ya te has enterado. Y es mucho mejor que te lo hayan dicho los espíritus, ¿no te parece?

—Sí —dijo Maggie—. Anita ni se imagina la que le espera...

—Eso: dale su merecido —dijo Mona—. Ahora me toca a mí otra vez.

136

La respuesta no se hizo esperar.

Chaqueta de cuero — sapatos altos.

Se quedaron asombradas ante una respuesta tan extraña y Mona se echó a reír.

—¿Has preguntado a los espíritus lo que te debes poner el sábado? —quiso saber Maggie.

—No te lo diré. Ya sabes que las preguntas no se dicen.

—Por si acaso, yo también me pondré mi chaqueta de cuero —dijo Maggie.

Loella, que observaba callada, no pudo contenerse.

—Estos espíritus no saben ortografía. Y no dicen más que estupideces.

Lo dijo sin ánimo de molestar, porque estaba sorprendida; pero Mona contestó irritada:

—¿Tú crees? A mí no me lo parece. ¿Y a ti, Maggie?

Maggie estaba algo confusa.

—No sé... Creo que se han equivocado al escribir «sapatos». Es con *zeta;* no con *ese.*

Pero Mona salió en defensa de los espíritus.

—Considerando el tiempo que llevan muertos, no se les puede pedir que estén en esos detalles. Además, en sus tiempos se escribía de otra forma. ¿No os dais cuenta?

—Eso es cierto —dijo Maggie—. Sabemos tan poco sobre ellos...

Loella estaba atónita.

—¿Están muertos?

—Naturalmente.

—Entonces son fantasmas, ¿no?

—Según se mire...

—Más o menos...

Mona y Maggie contestaban muy serias. Mona dijo a Maggie:

—¿No crees que deberíamos explicárselo todo a la niña?

Maggie asintió solemnemente y Mona contó a Loella que una tía suya era miembro de una especie de club espiritista. No todo el mundo podía pertenecer a él; sólo los que tenían un *sexto sentido.* Y la tía de Mona lo tenía. En otras palabras: era capaz de ver a los espíritus y de hablar con ellos por medio de trompetas. Era... era... no recordaba la palabra. Preguntó a Maggie:

—¿Cómo les llaman?

—Medium —dijo Maggie.

—Ah, sí, eso es.

Luego Mona dijo que cada persona tiene un espíritu guardián que la ayuda. El espíritu guardián de Mona era un rey negro que vivió en el siglo diecisiete, por eso se le debía perdonar que tuviera mala ortografía. Se llamaba Huapalayka o algo parecido. Su tía lo había averiguado. Y también logró descu-

138

brir al guardián de Maggie. Era un príncipe japonés, más viejo todavía. Había vivido por lo menos mil años antes.

—¿Cómo se llama, Maggie? —dijo Mona, interrumpiendo su discurso.

Maggie no recordaba cómo era el nombre en japonés. Era muy complicado; pero traducido significaba Arbol de los Suspiros.

—¡Bárbaro!, ¿verdad? —exclamó Mona.

Loella estaba totalmente de acuerdo. No salía de su asombro al oír tales cosas. Y ahora comprendía muy bien el por qué de las faltas de ortografía. Pero lo más que le extrañaba era que los espíritus pudieran hablar en sueco.

—Claro que pueden —dijo Mona—. Conocen todos los idiomas. En cuanto mueren, tienen que aprenderlos. Imagínate qué lata... ¡Con lo que a nosotras nos cuesta aprender sólo el inglés...!

Mona, al recordarlo, lanzó un suspiro; pero Maggie la animó.

—Ten en cuenta que ellos tienen cientos de años para estudiar. Y seguro que no les mandan hacer en casa más deberes que a nosotras.

—Es que si les mandaran tantos, se habrían muerto hace mucho.

—¡Pero si ya están muertos! —comentó sensatamente Loella.

Maggie y Mona rieron con aire de superioridad.

—Ahora pregunta tú —dijo Mona—. Si hay algo que quieras saber, aprovecha la ocasión.

Loella cogió el vaso, murmuró algo dentro de él rápidamente, lo frotó con energía y lo dejó luego en el círculo vacío. Las tres apoyaron los dedos. Silencio absoluto. Y como Loella sabía ahora que el vaso lo guiaban reyes y príncipes muertos hacía mucho tiempo, el silencio le pareció siniestro y fantasmal.

El vaso tardó bastante en empezar a moverse.

—Tu espíritu no está acostumbrado a esto todavía, ¿sabes? Tiene que entrenarse un poquito antes —susurró Mona.

Ahora el vaso comenzaba a deslizarse despacio, muy despacio. Se movía vacilando de un borde a otro del papel.

—Quiere echar un vistazo primero —explicó Mona en voz baja—. Debe ser alguien muy observador... ¡Ah! ¡Ahora se mueve más de prisa!

En efecto, el vaso cogió impulso. Cada vez más. Pero no se expresaba claramente. Describía círculos, se paraba de repente, daba una vuelta, otra, corría en línea recta, adelante, atrás...

140

—¡Qué prisa lleva! —exclamó Mona, encantada—. Creo que tu espíritu debe de haber sido alguien aficionado a las carreras. Un campeón automovilista, o algo así...

—¿En aquellos tiempos? No... Habrá sido un vikingo —dijo Maggie—. ¡Mira! ¡Ahora se para!

El vaso se detuvo bruscamente sobre la A. Luego echó a andar otra vez.

Del mismo modo brusco se paró en la B.

—A — B... —susurró Loella, pálida de emoción.

Después de echar varias carreras alrededor del papel, se quedó en la R.

Otra escapada hasta la I. Y otra a la L.

—Abril... —murmuró Loella. El vaso giraba con la rapidez del rayo. Mona y Maggie dijeron que se les estaba cansando el brazo. Mona insistió en que sólo un campeón de carreras podía conducirse así; pero Loella dijo que únicamente estaba claro que era un espíritu con mucho ímpetu.

—A lo mejor no está muerto del todo —comentó Maggie, divertida.

Loella le dirigió una mirada severa. Ella se lo tomaba muy en serio.

Por fin el vaso cesó de dar vueltas.

Y deletreó *abril* una vez más.

—Abril, abril... —dijo Maggie mirando a Mona—. ¿Qué querrá decir?

—¿Y yo qué sé? —contestó Mona—. Este automovilista, o vikingo o lo que sea, nos está tomando el pelo. ¿Tú lo entiendes, niña?

Loella asintió con la cabeza. Sí, lo comprendía muy bien.

—Bueno, entonces... —dijo Mona, guiñando un ojo a Maggie— eso es lo que importa. Pero yo sigo pensando que está loco.

Maggie, preocupada, le tocó la frente a Loella.

—Tiene fiebre —dijo—, Más vale que se vuelva a la cama. Todavía no está bien.

—Sí —dijo Mona—. Acuéstate, niña. Debes estar agotada con las carreras que ha pegado tu espíritu. A mí también me dejó sin resuello.

Loella hizo lo que le decían y se acostó mientras las otras encendían un cigarrillo.

Es cierto que estaba débil y afiebrada; pero feliz. Sólo ella podía comprender la respuesta. Y era estupenda. Quería decir que sus esperanzas se convertirían en realidad. Había preguntado cuándo vendría papá a buscarla. Y se lo dijeron por dos veces. No cabía ninguna duda. Era verdad. Y no tendría que esperar mucho tiempo. Abril estaba a punto de empezar.

142

16

Los días del mes de abril pasaban deprisa. Estaban en plena primavera. El sol llegaba con su luz fulgurante a todos los rincones. Sin embargo, de pronto el cielo se ponía oscuro y nevaba; pero al día siguiente volvía a estar claro y azul.

Agudas voces de mujeres se oían de una casa a otra mientras aireaban y sacudían las alfombras y las mantas. Las tardes eran largas. Los pájaros gorjeaban en el cielo. Los árboles se llenaban de brotes nuevos. Todo se agitaba en una especie de gozosa espera.

Loella también esperaba, inquieta, pero no a causa de la primavera. Cada día se levantaba con renovada fe. «Quizás hoy...» Y cada noche pensaba ilusionada: «Mañana.»

Nadie contó los días de Abril con tal ansia. Papá estaba a punto de llegar. Pero la constante espera acababa por agotarla. Se sentía impaciente, irritada y, en lo más profundo de su ser, algo asustada. A veces un enorme cansancio se apoderaba de ella y entonces se mostraba desatenta, indiferente a cuanto la rodeaba.

No se reconocía a sí misma. A menudo pensaba que si en el bosque hubiera encontrado a una chica igual a como ella era ahora, no la hubiera podido aguantar. Y estaba convencida de que era el mundo de la ciudad el responsable de su cambio.

En el campo uno siempre está haciendo algo. Todo está regido por el trabajo, por la necesidad de «las cosas terrenas», como decía tía Adina.

Los pensamientos, según ella, pertenecían a «las cosas del alma». También se les debía prestar atención, en los rezos de la noche y los domingos en la iglesia; pero la mayor parte del tiempo se dedicaba a las cosas terrenas.

Aquí, ese aspecto se descuidaba mucho. Uno iba a la escuela y basta. Y a eso no se le podía llamar trabajo. Los demás jugaban, pero ella no entendía sus juegos. Y jugaban en lugar de trabajar. El juego era un pobre sustituto del verdadero trabajo. Un pasatiempo de niños.

Loella pensaba así porque había empezado a trabajar desde muy pequeña. Añoraba las «cosas terrenas» que eran las únicas capaces de darle seguridad en sí misma.

En la ciudad nada era claro y simple. Se andaba como sobre una cuerda floja, entre la risa y las lágrimas, sintiéndose feliz o desgraciado sin motivo. En el campo la gente siempre sabía por qué reía o lloraba.

Aquí nadie entendía nada. *¿Existían* realmente? Se lo preguntaba cuando andaba por las calles sin que le dirigieran ni un saludo ni una sonrisa. Pasaban unos junto a otros sin mirarse siquiera. Nunca podría acostumbrarse a eso. Era el aspecto más desagradable de la vida en la ciudad. Hubiera preferido mil veces que le gritaran *Malos Pelos*, a que no le hicieran el menor caso.

Si por lo menos hubiera sido capaz de coger una de aquellas fantásticas rabietas, como cuando estaba en su casa... Pero hasta la rabia la había abandonado. No le faltaban motivos para enfadarse más de una vez; pero ya no tenía ese empuje, esa capacidad de furiosa reacción que en tantas ocasiones le había servido de desahogo. Lo mismo debía sentir el fuego, al ser sustituido por la electricidad.

Tía Adina había estado pensando en poner electricidad en su casa; pero Loella se lo quitó de la cabeza. La idea no le gustaba nada.

Las «cosas del alma» parecían marchar guiadas por la electricidad. Pensamientos, ensoñaciones y otras tonterías se habían introducido en ella con tanta facilidad como en el cine. Algo que la fastidiaba, que la hacía sentirse como una idiota; pero no podía frenarlos. Seguían dando vueltas en su cabeza, automáticamente, como una película.

A veces les daban permiso para ir al cine y ella iba siempre que podía.

En cambio, no quería leer libros. La maestra, la señorita Skog, y tía Svea, le habían prestado algunos. Creían que le gustaría leerlos. Cuando estuvo enferma le dieron un montón, pero ella sólo les echó una ojeada displicente. ¡Qué montaña de palabras! La ponían nerviosa y le daban sueño. En la ciudad se hablaba demasiado.

¿Qué tenían que ver con ella las aventuras y los personajes de los libros? Tenía sus propios problemas y, comparado con ellos, lo demás no era interesante.

El cine ya era otra cosa. Uno podía seguir pensando en sus propios asuntos y también, a veces, ponerse en lugar de las figuras de la pantalla. O, simplemente, dejar que pasaran las imágenes. Siempre es divertido ver algo que se mueve.

146

Pero para leer libros es necesario concentrarse y hasta olvidarse de uno mismo. Y ella, en esos momentos, estaba demasiado preocupada como para conseguirlo. Con los libros de texto ya tenía bastante.

Así se sentía Loella mientras iba contando ansiosamente los días de abril.

Un día sucedió algo extraño. Atravesaba el vestíbulo. Era mediodía y rayos de sol temblaban en el aire. Una ventana estaba abierta, la cortina se movía suavemente, un mirlo cantaba.

Aunque la radio estaba encendida, no había nadie allí. De pronto, oyó la voz de un hombre. Alguien leía algo en la radio con una voz curiosa y cantarina. Se paró en seco, como atrapada por las palabras. Sonaban misteriosas y a la vez sencillas. Nunca pensó que los adultos las usaran. Creía que sólo ella les encontraba algún sentido.

...una lluvia tranquila de rayos de sol
es todo lo que recuerdo de aquel día...

Escuchaba, absorbiendo cada palabra. Sus mejillas enrojecieron y le daba vueltas la cabeza. El hombre calló, pero en seguida continuó diciendo:

147

Flor que nace en las estrellas,
ardilla que canta a la luz de la luna...
Iré por el camino que atraviesa el bosque,
me lleve donde me lleve...

Casi no necesitaba escuchar. Reconocía aquellas palabras que estaban dentro de ella, adormecidas, y que la voz despertó. Era un juego que comprendía muy bien.

Tía Svea apareció en la puerta y se quedó mirándola.

—¿Qué era eso? —preguntó Loella.

—Un poeta leyendo sus versos. ¿Te gustan?

Sí. Aquellas palabras sí le gustaban y no las que hablaban de cosas que no significaban nada para ella. Palabras libres, jugando unas con otras, volando como pájaros en el cielo. Ahora comprendía que las palabras podían ser algo maravilloso. Bien usadas, eran capaces de romper las barreras entre las cosas de la tierra y del alma, y de crear algo más que una simple charla.

17

EL último día de abril se celebraba la *Noche de Walpurgis* [1]. Una noche de hogueras, canciones y bailes, para celebrar la tardía primavera sueca. Los días que Loella había contado ansiosamente pasaron, uno tras otro, como brillantes moneditas de plata.

Y cada día que terminaba era mucho más difícil de recuperar que una moneda perdida.

¿Por qué no venía papá? El último día de Abril estaba a punto de terminar. Luego sería el primero de Mayo. Loella estaba más inquieta que nunca. Había creído en lo que le había dicho el vaso. Mona y Maggie le aseguraron que con ellas había acertado.

---

1 Santa Walpurgis, nacida en Inglaterra, pasó como misionera a Alemania en el siglo VIII. Fue abadesa de un monasterio. Durante la Edad Media fue considerada como protectora contra la hechicería. Como su fiesta se celebra el 1 de mayo, la noche del último día de abril se conoce con el nombre de Noche de Walpurgis y se considera noche de brujerías.

¿Por qué no era verdad también para ella? ¿Por qué no? Pero aún no era demasiado tarde. Faltaban muchas horas para el primero de Mayo.

Lo que tuviera que pasar, pasaría antes. En el espacio de esas horas. Luego, ya no habría esperanzas. Una terrible posibilidad en la que se negaba a pensar. Contaba cada minuto, cada segundo, diciéndose: «Ahora... ahora...».

Andaba por las calles febrilmente, mientras el reloj avanzaba implacable hacia la hora en que toda esperanza debería ser abandonada.

Habían preparado una gran fogata en el jardín del *Hogar*. La encendieron temprano, antes de que fuera completamente de noche, para que los pequeños pudieran verla. Cantaron canciones que hablaban de la primavera y luego entraron para tomar chocolate caliente porque de noche aún hacía frío.

Eran las nueve en punto. Sólo quedaban tres horas. Loella fue a su cuarto. Allí estaba Mona, con la cabeza llena de rulos y maquillándose. Llevaba puesto el camisón, pero debajo estaba completamente vestida. Eso significaba que Mona iba a salir más tarde, cuando todos se hubieran acostado. Ultimamente lo hacía a menudo.

Estaba cantando, pero al ver a Loella se calló.

—Ah, menos mal que eres tú, niña...

Siguió pintándose tan tranquila. La persiana estaba echada. Hacía calor en la habitación. Loella se sentó en su cama y permaneció en silencio. Mona la miró.

—¡Qué cara...! Parece que estás en las nubes. ¿Qué te pasa? ¿No te gustó la fiesta?

Loella siguió callada.

—Oye, niña... no te va a entrar la murria precisamente hoy. Es una noche para divertirse... Y mañana habrá música y mucho jaleo en toda la ciudad. Será formidable, ya lo verás... Siempre hacemos baile cuando llega el verano. ¡No te estés ahí enfurruñada como un crío...!

Loella apreciaba los intentos de Mona por animarla. Reuniendo todo su coraje, preguntó:

—Mona... ¿puedo ir contigo esta noche?

—¿Qué dices, niña? ¿Crees que soy una niñera o algo por el estilo?

Alguien pasó junto a la puerta y Mona se metió de un salto en la cama. Pero no entró nadie. Se sentó, apoyando la espalda en la almohada y continuó maquillándose. Después de unos minutos, dijo:

—Bueno... a lo mejor... Sólo vamos yo,

151

Maggie, Johnny y Bert. Podrías venir con nosotros si a ellos no les molesta.

—¿Y les molesta?

Mona rió y dijo en tono confidencial:

—A ver si te aclaras, niña. Si yo quiero, ellos también. Así como te lo digo. Anda, métete en la cama y ponte el camisón encima de la ropa. Así estarás lista para salir cuando den la señal.

Loella, satisfecha, se quitó solamente los zapatos antes de acostarse. Mona apagó las luces.

—¿Cuándo vendrán, Mona?

—A las diez y media. A esa hora la casa siempre está a oscuras.

—Entonces faltará poco para la medianoche...

—¿Qué te anda por la cabeza, niña?

—Nada.

—Entonces, cierra los ojos de una vez. No te preocupes, que yo te despertaré. Pero ahora, a dormir. No hay nada mejor que el sueño para mantenerse bella.

Loella no dijo ni una palabra más. Si se ponía pesada, Mona no querría llevarla con ellos. Y era muy importante tener oportunidad de salir. Entonces *tenía* que ocurrir. Entonces *tenía* que encontrar a papá. Y puede que no sucediera hasta el último minuto. Las cosas más importantes suelen suceder cuando ya parece que no queda ninguna esperanza. No tenía que darse por vencida. Siempre había sido su norma y ahora, precisamente, hubiera cometido una tontería haciéndolo. Todo marchaba bien. ¿Quién le hubiera dicho que iba a salir con Mona esa noche? Y sin embargo, así era.

Se estiró, buscó una postura cómoda, tumbada de espaldas con los brazos bajo la cabeza y los ojos abiertos en la oscuridad. Ya no estaba preocupada. Confiaba por completo en esa última hora. Pero no pudo dormir. Tampoco quería, por otra parte. No fuera que Mona no oyese la señal... Hubiera sido horrible. Esperó con relativa tranquilidad.

Mona dormía. El despertador dejaba oír su tic, tac...

De pronto, alguien silbó en el jardín. Mona saltó de la cama.

—¡Vamos! ¡Muévete!

—Sí.

Loella ya estaba de pie. Se quitó el camisón y se puso los zapatos y la vieja chaqueta de punto verde. Su abrigo estaba colgado en el vestíbulo y era peligroso salir a buscarlo. Mona llevaba su chaqueta de cuero. Se quitó los rulos y se cepilló el pelo rápidamente. Levantaron la persiana sin hacer ruido y las iluminó la luz de una farola. Mona abrió la ventana.

—¿Estás lista?

—Sí.

El suelo estaba a metro y medio de distancia, más o menos. Abajo había hierba y unos cuantos arbustos. Entre ellos, Loella divisó la silueta de un muchacho, como una sombra.

—Salta tú primero —dijo Mona—. ¡Pero no hagas ruido!

Loella se las arregló para bajar en silencio y Mona la siguió. El muchacho, que era más alto que ellas, se deslizó hasta la ventana, la cerró y luego salió corriendo, lo más agachado que pudo. Salieron, por la puerta trasera del jardín, a la calle vacía donde esperaba un coche.

Nadie dijo nada hasta que llegaron junto a él. Entonces Johnny preguntó si Loella iba con ellos.

—¡Claro que viene! Y no hagas más preguntas. ¡Al coche, andando! —dijo Mona en un tono que no admitía réplica.

Maggie y Bert fumaban en el asiento de atrás. Maggie saludó a Loella con un ¡hola! cordial y no demostró la menor sorpresa al verla; pero Bert parecía algo desconcertado.

—¿El jardín de infancia sale esta noche de excursión? —dijo.

154

—A ti no te importa. ¡Y no te hagas el listo! —dijo Mona. Abrió la puerta delantera, hizo pasar a Loella y luego entró ella. Johnny iba al volante.

Cuando el coche arrancó, Mona pensó que era conveniente una explicación.

—La niña está preocupada por algo. Se lo vengo notando hace tiempo. La he traído para que se anime un poco. No os importa, ¿verdad?

No, no les importaba. Se alegraban de que fuera con ellos.

Johnny sacó un paquete de cigarrillos. Ofreció a Mona, que tomó uno y luego a Loella, que tomó otro casi sin pensar. Pero Mona estaba vigilante.

—¿Qué haces, niña? No debes fumar hasta que seas mayor.

Le quitó el cigarrillo y le dio una pastilla de chicle que sacó de su bolso.

—Esto sí es para ti. ¿Y a que te gusta más?

—¿Adónde vamos, Johnny? —preguntó Maggie.

El coche ya estaba lejos del *Hogar*. Iba a gran velocidad a través de una zona poco poblada. Las ruedas sonaban como quejándose de que las obligaran a ir tan de prisa.

Johnny dijo que podían dar una vuelta por el pueblo vecino. No estaba muy apartado. Llegarían pronto.

155

La radio del coche estaba sintonizada en un programa de música moderna y Mona y Maggie, que sabían casi todas las canciones, fueron cantando todo el tiempo. Bert y Johnny silbaban. De vez en cuando Mona daba largas chupadas a su cigarrillo. Pasó el brazo sobre los hombros de Loella y enrolló los dedos en su negro pelo.

—Tienes un bonito pelo, niña... ¿No lo sabías? Te quedaría muy bien si te lo cortaras y te lo peinaras para atrás. Yo de esto entiendo. Voy a ser peluquera.

—Yo también —dijo Maggie—. Y creo que estaría mejor con flequillo.

—¿Te parece? —dijo Mona, dudando. Para comprobarlo, puso un mechón de pelo en la frente de Loella.

—No, no le favorece. No es su estilo.

Puso el brazo alrededor de Loella otra vez y dijo, en voz baja y afectuosa:

—A veces hemos andado a la greña... pero ahora nos llevamos muy bien, ¿verdad?

—Sí.

Loella masticaba su chicle frenéticamente. Estaba embargada por un sentimiento casi místico. La loca velocidad, la música ruidosa, la amistosa actitud de Mona... todo la llenaba de una especie de confusa felicidad.

Eran casi las once, pero dentro del coche parecía que el tiempo se había detenido.

156

—¡Ah! ¡No hay nada mejor que ir con los amigos en un coche a todo gas y olvidarse del resto del mundo! —suspiró Mona, satisfecha.

—Tienes razón —aprobó Johnny, atento a su volante—. Todo lo demás son tonterías.

—Ya lo creo... Pero así es la vida —dijo Mona filosóficamente.

Empezaron a cantar otra canción a grito pelado.

Loella miraba la oscura carretera que se abría ante el coche. Había muy pocas casas, pero pronto llegaron a una zona más poblada, con faroles en las calles. Entraron a una velocidad increíble por una calle que desembocaba en una plaza. Estacionaron junto a otros coches que había allí y salieron.

Un grupo de chicos y chicas se arremolinaba junto a un puesto de perritos calientes. Bert compró para todos; también para Loella. Estaba algo mareada por la carrera en el coche. Miraba a la gente que estaba allí, pero se sentía tan rara que le costaba mucho concentrarse en nada.

Hacía frío; sus alientos dibujaban blancas bocanadas y el vapor caliente del quiosco se elevaba formando nubes. Pero Loella no sentía frío. Los demás charlaban con unos conocidos. Ella se mantenía aparte, comiendo su salchicha y pensando incoherentemente en su padre.

Si viniera ahora tendría que empezar por localizarla y, luego, encargarse él de todo. Loella estaba tan cansada, tenía la cabeza tan terriblemente vacía, que le faltaban las fuerzas para planear nada. Todo tendría que hacerlo él. Ojalá pudiera. ¿Y cómo se reconocerían? ¡Oh, qué bobada!... No debía preocuparse por eso. Apenas se vieran, sabría cada uno quién era el otro. ¿Acaso no se parecían tanto?

Era hora de marcharse, dijo Mona, empujando a Loella hacia el coche.

—¿Tienes sueño, niña?

—No.

—Pues lo parece.

—No.

Avanzaron lentamente por la población luminosa y desconocida.

—Vamos al puerto —dijo Johnny. Y Loella se despertó de repente. ¡El puerto! ¡Allí sí que sería fácil encontrar a papá!

Llegaron junto a las negras aguas. El coche, con las ventanillas bajadas, avanzaba con precaución a lo largo del muelle. El corazón de Loella golpeaba con agitación en su pecho.

Los barcos estaban alineados uno junto a

158

otro. Oscuros, gigantescos, se erguían entre el agua y el cielo con sus luces amarillas, verdes y rojas como ojos de fantásticos animales. Se oían voces, gritos, músicas. Quiso salir un momento del coche y le pidió a Johnny que parara.

—Sí, vamos a echar un vistazo —dijo él.

Bert también bajó pero Maggie y Mona se quedaron dentro porque tenían frío.

Bert y Johnny se detuvieron para llenar sus pipas. Loella echó a correr, sola, a lo largo del muelle. Quizás en uno de aquellos barcos... Si papá pudiera verla... Si mirara hacia ella en ese momento...

En la cubierta de los barcos se veían oscuras siluetas que difícilmente se distinguían. El sí la vería, suponiendo que estuviera en uno de los barcos. Pero nadie desembarcaba, nadie iba a su encuentro ni le hacía un gesto. Iban y venían o simplemente se apoyaban en la borda, pero nadie se fijaba en ella. Nadie la conocía.

Fue de barco en barco y no pasó nada. Estaba perdiendo el valor. Otra vez la sensación de agotamiento. Si papá llegase, tendría que cogerla en brazos, de tan cansada como se sentía. Como si de pronto se hubiera convertido en una persona muy delicada, incapaz de hacer nada por sí misma.

Entonces oyó el repiqueteo de los pasos de Mona tras ella. Mona la cogió de un brazo.

—¿Por qué te escapas? ¡Lo mismo te caes al charco! ¡Vaya susto que me has dado! ¿Es la primera vez que ves un barco? Vamos, que los pies se me están quedando tiesos de frío.

Mona casi tuvo que arrastrarla; pero sólo porque Loella estaba muy cansada. De otro modo la hubiera seguido obedientemente. Pensó que papá habría desembarcado ya; no era lógico que a esas horas estuviera todavía en el barco. Habría bajado a tierra en seguida para ir en su busca.

—¿Qué hora es, Mona?

—No sé. Las once y media, supongo. Más o menos.

De nuevo corrían por la carretera. Estaba muy oscuro y empezó a caer una fina lluvia. Unas cuantas hogueras de la *Noche de Walpurgis* ardían aún.

En el coche todos seguían contentos. La radio sonaba a todo volumen, sintonizada en un programa musical.

—¡Déjala ahí, Johnny! —gritó Mona—. ¡Oh...! ¿No es bárbaro?

—¿Qué camino es éste? —preguntó Maggie—. No lo conozco.

—He cogido uno distinto; es un poco más largo, pero más bonito.

160

Lo cierto es que no veían casi nada, con lo oscuro que estaba y a tal velocidad; pero les gustaba saber que iban por un camino bonito. Maggie estaba encantada. Empezó a pintarse los labios con mucho cuidado. Bert chupaba a fondo su pipa y se puso a toser. Johnny se burló de él. Mona cantaba más fuerte aún que la radio. Loella bostezó y deseó que Mona la rodeara otra vez con el brazo para poder recostarse en su hombro. La cabeza le pesaba cada vez más. Y el coche estaba lleno de humo. No se veía casi nada.

De pronto el coche se desvió bruscamente, Johnny masculló algo, Mona y Maggie gritaron, Loella sintió una sacudida y se encontró en el suelo, a los pies de Mona. El coche se detuvo dando una especie de brinco y todos salieron despedidos. Afortunadamente, nadie se hizo daño.

Loella, eso sí, se tragó el chicle. Mona dijo que podía sentir cómo le crecía un chichón en la cabeza y Maggie, con la pintura corrida por toda la cara, tenía un aspecto de lo más cómico. A Johnny y a Bert no les había pasado nada; pero Johnny estaba preocupado por el coche. Se había quedado atravesado en la carretera y no conseguía ponerlo en marcha. Anduvo hurgando en el motor, pero aun así el coche no se movió ni un

161

centímetro. Otros dos coches se vieron obligados a detenerse. Los conductores, malhumorados, fueron hacia ellos para ver qué pasaba.

Johnny, nervioso, se puso al volante para guiar el coche mientras los hombres lo empujaban hacia un lado de la carretera.

Luego volvieron a sus coches y se marcharon, pero Johnny no consiguió que el suyo arrancara. El y Bert se metieron debajo para tratar de encontrar la avería mientras Mona, Maggie y Loella estaban de pie en la carretera, temblando bajo la llovizna y el viento frío.

—Tendremos que volver andando —dijo Maggie, afligida, mirando los zapatos finos, estrechos y con tacones de aguja que ella y Mona llevaban.

Mona no se quedó callada mucho tiempo, como es de suponer. Hablaba a gritos con Johnny y Bert, que seguían debajo del coche.

—¿Qué demonios hacéis? ¿Todavía no habéis encontrado nada? ¿A qué distancia estamos de la ciudad?

Se puso de peor humor cuando sólo escuchó unos monosílabos como respuesta.

—¡Tanto hurgar en las tripas del coche y no sirve para nada! Mejor sería que lo hicieseis arrancar.

Johnny estalló:

—¿Qué sabes tú de motores?

Mona también se enfadó y dijo que se iría a pie aunque tuviese que andar toda la noche. Cogió de un brazo a Loella y echó a andar carretera adelante, furiosa; pero desistió porque sus tacones se hundían en la arenilla blanda que la bordeaba; le dolían los pies y cada vez llovía más fuerte. Los coches pasaban casi rozándolas y deslumbrándolas con los faros.

—En el peor de los casos, haremos autostop —dijo Mona—. ¡Johnny no es el único en el mundo que tiene coche! ¡Que se quede ahí tumbado, el muy idiota!

En ese preciso momento apareció un gran coche negro y se detuvo a su lado. Mona sujetó a Loella y se volvió, advirtiendo a gritos:

—¡La poli!

Dos guardias salieron del coche negro.

—¿Qué ha pasado aquí? —preguntó uno de ellos.

Nadie dijo nada. De Bert y Johnny sólo se veían las piernas. Segundos después se pusieron de pie, sucios, cubiertos de grasa, pálidos y asustados. La única capaz de demostrar cierto valor fue Mona. Haciendo todo lo posible por aparentar desenvoltura, encendió un cigarrillo.

—¿Y a ustedes qué les importa? —dijo con descaro; pero como respuesta recibió una mirada que le quitó las ganas de continuar en el mismo tono.

Los policías preguntaron de quién era el coche. Johnny balbuceó algo. Y pudieron entender que era de su padre.

—El permiso de conducir...

Johnny hizo como que lo buscaba en sus bolsillos y luego dijo que se lo había dejado en casa. Finalmente tuvo que confesar que no tenía permiso porque acababa de cumplir dieciséis años.

Todos fueron a parar al coche de la policía. Johnny se resistió, porque no quería abandonar el de su padre.

—Nosotros nos ocuparemos de él —dijo uno de los guardias cortésmente, al tiempo que lo empujaba hacia el coche.

Regresaron a la ciudad y, una vez allí, fueron derecho a la comisaría.

Un policía llamó por teléfono a Tía Svea y a los padres de los demás. Todo pasó increíblemente de prisa. Llevaron a Mona y a Loella en el coche de la policía. Iban calladas, sin atreverse a mirarse una a la otra. Este también fue un viaje rápido, pero no tan agradable como el anterior.

Cuando bajaron del coche, frente al *Hogar*,

el aire ligero de primavera todavía olía al humo de las fogatas. Entonces empezaron a repicar todas las campanas de las iglesias de la ciudad. Loella no necesitó contar las campanadas. Sabía que eran doce.

Tía Svea esperaba en la escalera, muy seria. Sus ojos tenían un reflejo grisáceo; su boca, un gesto severo. No estaba enfadada, pero tanto Loella como Mona tuvieron que escuchar sus palabras de disgusto y advertencia.

Loella no se enteró casi de lo que le decía. Estaba tan cansada...

Lo único que seguía resonando en sus oídos eran aquellas doce fatales campanadas.

18

NI Loella ni Mona tenían ganas de hablar de lo que había pasado aquella noche. Nunca volvieron a mencionarlo. Seguramente, porque a nadie le gusta recordar sus derrotas.

Para Loella no era solamente la desagradable experiencia de haber sido atrapada. La noche había tenido otra desilusión peor: la profecía del vaso no se había cumplido.

Después de tal fracaso, sus dudas fueron cada vez mayores. Se desvanecían sus sueños. Trataba de hacerlos revivir por todos los medios pero, si aparecían, era de un modo mecánico, falso.

Los días se iban haciendo muy largos y las noches muy cortas.

Mona, como de costumbre, rara vez estaba en casa. A menudo volvía tarde, pero ya no intentó escaparse por la noche. Se consolaba sumergiéndose en el mundo de las canciones de moda, las revistas femeninas y los tratamientos de belleza. No tenían mucho que decirse la una a la otra, pero tampoco se peleaban tanto como antes.

Loella empezó a poner más interés en sus estudios. Y fue a ver a Rudolph y Conrad con más frecuencia. Ellos representaban lo único firme y auténtico en su vida.

Una noche la despertaron extraños ruidos que venían de la cama de Mona. Parecía que lloraba... No, no era posible. Mona nunca lloraba.

En el *Hogar* nadie lloraba, excepto los niños muy pequeños. Era como una ley no impuesta, pero aceptada de común acuerdo. Por eso el llanto de Mona le impresionó mucho.

Loella se sentó en la cama. En la luz grisácea del amanecer, que se filtraba a través de los visillos, vio la cabeza de Mona sin los rulos.

—Mona... ¿te sientes mal?

No obtuvo respuesta.

—¿Te duelen las muelas?

Mona se volvió hacia ella y vio su cara hinchada y enrojecida.

Sollozaba, hipaba, jadeaba. No, no le dolían las muelas. No le pasaba nada.

Loella, indecisa, se levantó y fue a sentarse en la cama de Mona. Ella escondió la cara en la almohada.

167

—¿Por qué estás tan triste?

—Me acuerdo de mi casa... —tartamudeó Mona. Y volvió a llorar.

Loella se quedó un momento pensativa.

—Pero tú siempre dices que odias los pueblos. Te gusta estar en la ciudad, ¿no?

—Sí... pero echo de menos mi casa.

Sollozó con más fuerza. En seguida se destapó la cara, se secó los ojos con la sábana, haciendo todo lo posible por dominarse. Empezó a hablar en tono quejumbroso.

—Da igual donde uno viva. El pueblo es horrible, sí... pero eso no tiene nada que ver. Lo que quiero decir es que... bueno, qué más da.

Nuevamente las lágrimas corrían por sus mejillas. Loella comprendía su desconsuelo.

—¿Y no puedes volver a tu casa? —preguntó.

Mona dejó de llorar de repente.

—¿Estás loca? ¿Por qué crees que estoy aquí, entonces?

Se sentó en la cama, mirando a Loella con sus ojos ribeteados de rojo y con la expresión más dramática de que fue capaz.

—No... Hace mucho tiempo que ya no tengo casa a donde ir. La cosa no viene de ayer.

Reunió sus recuerdos mientras se sonaba la nariz, cuidadosamente, ensimismada.

—Mi padre tiene una tienda, ¿sabes? Una bonita tienda, aunque esté en un pueblo. Cerca de Estocolmo... Tengo dos hermanos, Rollan y Krillie. Y una hermana, Pip. Rollan y Krillie se llevan un año solamente. Los dos trabajan en Estocolmo. Pip es la más pequeña y yo la mediana. Ellos se portan muy bien... Son estupendos, te lo aseguro...

Fue interrumpida por un ataque de hipo, como pasa, cuando se llora mucho. Como no se le quitaba, Loella fue a buscar un vaso de agua. Después de beberlo, el hipo desapareció y Mona pudo continuar hablando.

Contó a Loella que su madre, que era muy guapa, trabajaba también en la tienda. Y que un día desapareció llevándose a Pip, la hermanita pequeña de Mona, que entonces sólo tenía unos meses. Se volvió a casar con un hombre que había conocido en la tienda.

—Bonitos parroquianos, ¿verdad? —dijo Mona amargamente.

Luego siguió diciendo que su padre también se había casado poco después. Pero entonces sus hermanos se marcharon a Estocolmo y sólo ella se quedó en la casa. Su padre dejó de ocuparse de Mona y le hizo comprender que estorbaba. No se lo decía, pero lo demostraba.

—Su mujer también... pero el viejo era el

peor. Siempre estaba diciéndome que me fuera por ahí... ¿Y qué podía hacer yo?

Mona miró a Loella, repitiendo la pregunta:

—¿Qué podía hacer yo?

Empezó a salir todo lo más posible. Hizo muchos amigos. Algunos tenían coche y lo pasaban bien. Luego empezaron a robar pequeñas cosas en las tiendas: para divertirse solamente, no por dinero. En casa le daban mucho; pero hacerlo era una emocionante aventura.

—No... mi viejo no es roñoso... en ese sentido se portaba bien. No le importa la pasta.

Se quedó callada, pensativa, como si dudara entre seguir hablando o no. Luego, en un murmullo incoherente, confesó cómo los descubrieron robando. Mona era la encargada de guardar todo lo que pillaban y lo tenía en su cuarto. Cuando la descubrieron, se armó el gran barullo.

—Tenías que haber visto al viejo entonces...

Antes de eso era muy comprensivo. Ella siempre había robado cosas en la tienda y, aunque él lo sabía, no decía nada. Como si no le importara. Cuando Mona le pedía ropa nueva, dinero, o cualquier otra cosa, nunca se lo negaba. La había dejado estar fuera hasta altas horas de la noche. Le daba igual lo que ella hiciera.

Pero cuando la descubrieron, como se enteró todo el mundo, cambió por completo. Se lamentaba de que un hombre honrado como él pudiera tener una hija como Mona. Y no paraba de decir que había hecho todo lo posible por educarla como era debido. Había sido bueno y generoso con ella... ¡Y qué agradecimiento recibía!

—Dijo que yo había salido a mi madre y que no quería saber nada de mí. Que se lavaba las manos. Y como mamá me había abandonado, pues... Total, que fui a parar al Patronato de Menores. Así, tal cual.

Mona se recostó sobre las almohadas, con la mirada perdida en la oscuridad.

—Ahora que lo sabes, seguro que comprenderás por qué lloro y qué es lo que echo de menos...

Estaba pálida, pero algo más tranquila; ya no lloraba. Dijo que tenía una tía muy simpática, la *medium*. Mona había pasado las Navidades en casa de ella, pero ahora ya no podía ir porque su madre se había peleado con ella, con la *medium*.

—¿Y sabes por qué se han peleado?
—No.
—Porque mi madre, aunque no se ocupa

171

ni pizca de mí, se pone furiosa si mi tía me invita. ¿Qué te parece?

Loella no dijo nada. Sólo movió la cabeza en un gesto de disgusto. Lo que oía era terrible. Era terrible oír hablar así de un padre. Era terrible pensar que él era «el viejo» que estaba excluido de las oraciones de Mona.

Mona continuó. Era difícil saber si hablaba realmente a Loella o si pensaba en voz alta.

—Me pregunto qué es lo que echamos de menos... Algo bueno que pasó y que quizás hayamos olvidado, pero que sigue en alguna parte. Recuerdo pequeñas cosas... como cuando mamá me hizo un suéter rosa y siempre andaba detrás de mí para que le dejara probármelo. Una manga le salió demasiado estrecha... ¡Dios mío! ¡Cómo nos reímos papá y yo! Cosas así, es lo que quiero decir.

Mona añadió que si su padre hubiera sido siempre exigente y serio, si la hubiera regañado por fumar o por volver tarde a casa o por pintarse, le hubiera parecido normal.

—No lo creerás, pero hasta me hubiera gustado, en el fondo. Porque eso querría decir que se preocupaba por mí.

Pero fue tolerante sólo hasta que el asunto se destapó; a partir de entonces ya no quiso

172

saber nada de ella. Entonces llegaron los del Patronato de Menores y, a su manera, también se mostraron muy comprensivos. Hiciera lo que hiciera Mona, no se alteraban. Era parte de su trabajo. Y de eso no puede uno quejarse.

Mona buscó un paquete de cigarrillos en su revuelta mesilla de noche, sacó una colilla que había dentro y la encendió. La lucecita se movía siguiendo el movimiento de su mano como una pequeña luciérnaga en la oscuridad.

—Oh, sí... todo el mundo, en todas partes, me colocaba el mismo disco: «comprendo, comprendo...» ¿Y eso de qué sirve? ¡Me importa un pito que me comprendan!

La lucecita hizo una rápida curva sobre su cabeza.

—Lo que tiene que hacer un padre no es sólo comprenderte... Lo que importa es que te quiera siempre, pase lo que pase.

Hubo otro silencio. Mona chupaba furiosamente su colilla. Temblaba, pero no de frío, sino porque estaba muy afligida.

Cuando acabó de fumar abrió un poco la ventana.

—Vuélvete a la cama, niña. Te vas a acatarrar.

Loella se acostó y Mona cerró la ventana.

173

Luego su boca se abrió en un enorme bostezo y murmuró, soñolienta:

—Demonio, qué tarde es. Tenemos que dormir. Buenas noches, niña.

—Buenas noches.

Mona se volvió de cara a la pared. Siempre se movía mucho en la cama antes de dormirse, se estiraba y daba vueltas. Loella estaba tumbada de espaldas, mirando al techo, con la cabeza llena de pensamientos que se mezclaban, iban y venían. Pero uno volvía constantemente. Era una pregunta que quería hacer a Mona desde hacía mucho tiempo, pero no se había atrevido.

—Mona...

—¿No duermes todavía?

—Quiero preguntarte algo. ¿Recuerdas lo que me contestó el vaso? Los espíritus dijeron Abril, ¿te acuerdas?

—Claro.

—Me engañaron. En Abril no pasó lo que yo esperaba. Y quiero saber por qué.

Mona se movió ruidosamente en su cama otra vez, levantó la cabeza, la apoyó en su mano y miró en la oscuridad hacia Loella.

—No tienes que hacer mucho caso.

—¿Pero por qué me engañaron?

Mona rió sin contestar; pero Loella no se dio por vencida.

174

—Si sabes algo, Mona, debes decírmelo.
Mona dijo suavemente:

—Fue una broma.

—¿Una broma?

—Sí... En el mes de Abril se pueden decir mentiras... para divertirse. ¿Nunca has oído hablar de esa costumbre?

—No...

—Vaya, pues ya era hora. Y no pongas esa cara tan triste. Duérmete, niña. Buenas noches...

19

LE habían tomado el pelo, ni más ni menos. Todo había sido una broma. Los espíritus se habían divertido a su costa.

Era una estúpida, pensaba Loella. Pero ahora tenía que sobreponerse y meditar con realismo en la situación, en vez de caer en la tentación de hacerse ilusiones.

Y eso fue lo que hizo. Se preguntó a sí misma: ¿Qué le hacía creer que su padre se acordaba de ella?

Respuesta: Ciertas palabras de Agda Lundkvist, oídas a medias. Especialmente, la afirmación de que su padre la quería porque se parecía mucho a él.

Pero no, eso no podía ser cierto; si lo fuera, se la hubiera llevado mucho antes, sin dejar pasar tantos años.

¿Y por qué creía que vendría ahora?

Respuesta: Porque tía Adina afirmaba que todo lo que ocurre tiene un sentido. Y él único sentido que podía descubrir en su desdichada marcha a la ciudad era el de que allí encontraría a su padre.

Ahora veía muy claro que estaba equivocada. Había buscado ese oculto sentido sin encontrarlo; por eso se había inventado uno. Se había engañado a sí misma. Nadie más que ella tenía la culpa. Todo había sido pura fantasía. Imaginaciones tontas.

Papá no quería saber nada de ella. Era absurdo pensar lo contrario. Andaba viajando por todos los países del mundo, durante muchos años, y la había olvidado. No era razonable esperar otra cosa. Además, no es lo mismo cargar con una niña pequeñita que con una ya crecida. Se ve que molestan. No había más que fijarse en el padre de Mona, por ejemplo; se cansó de ella, le importaban más otras personas. Si no, hubiera querido que Mona viviera siempre con él.

Sin duda todos los mayores eran así. Y había que aceptarlo.

Y no sólo los padres; las madres también. Como la de Mona y la suya, que estaba en América y ni siquiera escribía.

Uno debe aprender a arreglárselas por su cuenta, sin contar con nadie. Así debía ser. Basta con pensarlo tranquilamente para entenderlo. Y en cierto modo es una forma de liberación abandonar las falsas ilusiones, no esperar nada en lo sucesivo. «Cortar», como decía Mona.

Por lo menos le quedaba una satisfacción: la de saber que su padre no había tenido ocasión de cansarse de ella, como le había pasado al de Mona. A Loella, su padre la había olvidado, simplemente. Así no había entre ellos ni amargura ni tristes recuerdos. No había nada. Era mucho mejor.

Pobre Mona. Menos mal que tenía ese carácter tan animoso. Estaba contenta, como siempre; cantaba sus canciones, vivía como si todo fuera estupendo, aunque aquella noche hubiera llorado tanto. Y eso que Mona no tenía a nadie a quien recurrir.

Loella tenía a tía Adina, que le escribía muy seguido y le pedía que volviera a su lado. Ahora se daba cuenta de lo que valía. Era una persona en la que se podía confiar, no fallaba nunca. Loella le escribió en seguida.

Querida tía Adina:

Gracias por tu carta y por el dinero. Me compraré algo con él. Aquí el tiempo pasa muy despacio. Antes pasaba más rápido porque me estaba haciendo ilusiones. Ahora ya no me las hago. Tú dices que debemos buscar

178

el sentido que tiene todo lo que ocurre. Pero a veces uno no encuentra más que una toma- dura de pelo. Puede que a ti no te pase porque eres mayor y no te dejas engañar.

Quiero decirte que yo pensaba que un padre es lo mejor que un niño puede tener en este mundo. Y ahora te diré cómo es el padre de Mona. Se cansó de ella y sólo quería quitár- sela de encima. Pienso que hubiera sido mu- cho mejor no tenerlo.

Rudolph y Conrad están bien y han crecido. En cuanto acabe el curso, volveré a casa. El último día es el 5 de junio. Así que no puedo moverme hasta entonces.

¿Has ido a nuestra cabaña? ¿Sigue Papá Pelerín en su sitio? Espero que sí. Habrá resistido bien el invierno porque antes de irme le puse el impermeable. Supongo que ahora habrá muchas flores. ¿Han florecido las lilas? ¿Y el manzano? Quizás no, porque se está haciendo viejo. ¿Te acuerdas de la malva que planté junto al porche? ¿Ha crecido? Compra- ré semillas con el dinero que me mandaste y las llevaré para plantarlas todo alrededor de la casa. Quedará preciosa. Por favor, escríbeme pronto. Te quiere mucho

LOELLA

P.D. ¿Cómo está Fredrik Olsson? Aquí te mando un sobre con sellos extranjeros que me han regalado. La próxima vez que tú o tío David vayáis al bosque, ponedlo en el brazo de Papá Pelerín. Fredrik se lo llevará. El me dio a mí muchas cosas, cuando estaba sola. Sabrá que yo se los mando.

Loella estaba seria, pero más tranquila y animada. Se quedó a gusto después de mandar la carta. ¡Qué buena idea enviarle los sellos a Fredrik Olsson! Loella no quería volver a verlos. Sólo de pensar en ellos se sentía mal. Una idiota, eso es lo que había sido. Al ver que dejaba de recibir sellos de repente, Eva preguntaría : «¿Tu papá ya no te escribe?» Que pensara lo que quisiera. A Loella ya no le importaba.

Ahora era libre.

Podía abandonar la ciudad en cualquier momento. Si se quedaba hasta el final de curso era por su propia voluntad. Y porque cuando se promete algo hay que cumplirlo. Ella había dicho a la señorita que se quedaría hasta que acabaran las clases. Y la señorita dijo que era una decisión acertada, teniendo en cuenta la importancia de los exámenes.

Loella recibió contestación de tía Adina a vuelta de correo:

Mi querida y encantadora niña:

Me puse muy contenta cuando recibí tu Carta. Qué alegría saber que llegarás el Seis del Mes que biene. Será un día feliz para mí, te lo aseguro. Me dices que los mellizos han crecido, así que estarán muy Ermosos. Ahora, querida, escucha lo que tienes que hacer cuando vengas a casa tomas el tren a Mosseryd. Que la Lundkvist o como se llame te acompañe para que no te equivoques aquí te mando vastante dinero para los billetes. Te esperaremos en la Estación con el Caballo y el Carro tío David también irá. Se le ha metido en la cabeza que yo no monte más en el Carro. Es una tontería pero lo dice por mi bien por eso no me enfado con él. Pero si ese día tiene que ir a trabajar al Bosque, un Hombre que está viviendo con Fredrik Olsson se ha ofrecido a hir si hace falta. Así que no debes preocuparte. Ahora boy a contestar a tus Preguntas. Las lilas tienen muchos Capullos. Cuando tú vengas estarán en flor. Y la malva ha crecido mucho. El viejo Espantapájaros que llamas Papá Pelerín y que cuidabas tanto, sigue tan tieso en su sitio. Todo está igual en la cabaña y pasarás un estupendo verano, así lo espero. Mi Pierna esta fuera de Peligro y lo bastante fuerte para correr por los bosques contigo.

181

Todos te damos la Bienvenida.
Con mucho cariño
Tu tía que te quiere

ADINA PETERSSON

Loella leyó la carta muchas veces y la tranquilizó saber que todo estaba arreglado para su regreso a casa.

Se incorporó y echó atrás la cabeza con gesto seguro.

La ciudad ya no significaba nada. Había perdido su dominio sobre ella. Pronto la abandonaría para siempre. Nada la ataba. No dependía de nadie. Podía levantar el vuelo libremente.

Y sintió que sus antiguas fuerzas renacían.

20

LLEGÓ el cinco de junio. Las clases terminaron y Loella obtuvo muy buenas notas en los exámenes. Hasta le dieron un premio.

Tía Svea estaba encantada. Dio una merienda de despedida a Loella en el jardín. Y ahora Loella quería hacer algunas compras porque al día siguiente volvía a casa.

Echó a andar por las calles.

El sol brillaba con fuerza y una alegre brisa bailoteaba sobre la ciudad. Y aunque es cierto que en este último día se mostraba más atractiva que nunca, no conseguiría engatusarla para que se quedara ni uno más.

Tenía bastante dinero porque había guardado casi todo el que le había mandado tía Adina. Primero compró muchas bolsitas de semillas para plantar toda clase de flores.

Luego compró un precioso pañuelito bordado como regalo de despedida para tía Svea. Y una rosa de tela almidonada para que tía Adina la pusiera en su sombrero azul de verano.

¿Y qué le podía regalar a Mona? Algo de bisutería, naturalmente. Pasó mucho tiempo mirando. Era divertido ver esas cosas. Por fin se decidió por un par de pendientes largos, relucientes y llamativos.

Entonces se le ocurrió que le gustaría llevarse un recuerdo de la ciudad. Después de todo, había estado allí mucho tiempo.

No sabía qué comprar. Estuvo viendo cajitas, muñecas, floreros, con el nombre de la ciudad escrito en ellos. No, no le gustaban. Tenía que encontrar algo distinto.

No, no compraría ningún *souvenir*.

Ah, sí... lo que más le gustaría llevarse a casa era un olor que había conocido por primera vez en la ciudad y que quería recordar. Un perfume que había aprendido a querer.

Entró en una perfumería, muy contenta.

—Quiero una pastilla de jabón —anunció.

Al otro lado del mostrador estaba una señora joven y gordita. Tenía el pelo corto, negro y rizado, y llevaba varias vueltas de perlas alrededor del cuello. Ofreció una pastilla de jabón a Loella.

—¿Esta, por ejemplo?

La niña lo cogió, lo olió y volvió a dejarlo sobre el mostrador sacudiendo la cabeza.

184

—No, no huele así.

—¡Ah! ¿Quieres una marca especial?

—Sí.

—¿Cómo se llama?

—No sé el nombre, pero sé cómo huele.

Los ojos azules de la señora reflejaron su desconcierto.

—Tenemos muchísimas clases de jabones —dijo, abriendo varios cajones—. A ver si por casualidad... ¿El perfume no será de lirio del valle o lavanda?

Loella sabía que no; podía reconocer perfectamente el perfume de los lirios del valle y de la lavanda.

—Será mejor que yo huela los jabones —dijo. Se colocó detrás del mostrador y empezó a husmear una pastilla tras otra mientras la señora la miraba con curiosidad. A veces ella también olía alguno y daba su experta opinión.

Debía atender a otros clientes que iban entrando en la tienda, pero Loella seguía imperturbable, olisqueando todas las existencias. Los clientes la miraban algo sorprendidos, pero ella no les hacía caso. Tantos olores distintos le produjeron un ligero mareo. A ratos tenía que descansar la nariz porque de repente no podía oler nada y le parecía que todos los perfumes era el mismo.

—¿Qué tal? —preguntó la señora cuando quedó libre—. ¿Todavía no lo has encontrado?

—No, pero todavía no los he olido todos.

La señora, suspirando, sugirió la conveniencia de averiguar el nombre del jabón que buscaba; pero Loella respondió que era completamente imposible. Cuando dejó en el cajón la última pastilla, asegurando que no era ninguna de aquéllas, la señora preguntó si estaba segura de recordar bien el perfume. Quizás sólo estuviera en su imaginación. Es fácil confundirse cuando se huelen muchos seguidos.

—No —dijo Loella muy segura de sí misma—. Lo recuerdo perfectamente.

La señora suspiró con más fuerza que antes, desanimada; pero Loella no lo tomó a mal.

—¿No hay más jabones que éstos? —preguntó.

—Sólo en cajas preparadas especialmente para regalo —dijo la señora con tono preocupado—. Y esos jabones son muy caros.

Miró interrogante a Loella.

—¿Como cuánto?

—Depende...

—¿Los puedo oler también?

—Sí, claro.

La señora sacó unas cajitas muy elegantes. Dentro había jabones envueltos en papeles con artísticos dibujos. Los colocó sobre el mostrador para que Loella pudiera examinarlos.

—Verdaderas obras de arte —dijo, mientras su joven cliente los iba oliendo uno por uno.

Por fin.

—¡Es éste!

Loella sostenía una de las delicadas cajitas con dos hermosas pastillas de jabón en su interior. ¿Cuánto valdrían? No se atrevía a preguntarlo; pero la señora dio vuelta a la caja y dijo:

—Nueve coronas los dos.

Ahora le tocó el turno de suspirar a Loella porque no tenía tantísimo dinero. Los pendientes de Mona habían sido caros y la rosa y el pañuelo también. Sólo le quedaban unas cuatro coronas. No podía comprar la caja y así se lo dijo a la señora.

Ella se quedó un momento callada; parecía triste. Suspiró otra vez. Las dos se miraron y suspiraron a coro. Luego dijo:

—No acostumbramos a venderlos sueltos, pero ya que te has tomado la molestia de olerlos todos, creo que te puedes llevar uno solo. ¿Cuánto dinero tienes?

Loella puso sus monedas sobre el mostrador y ella las contó.

—Con esto hay suficiente. La caja ya cuesta bastante y como no te la llevas...

Puso la pastilla en una elegante bolsita de papel, sonriendo.

—Aquí tienes. Es un jabón finísimo.

—Lo sé —dijo Loella.

Cogió solemnemente la bolsa de papel y salió a la calle. Ese era el perfume que quería llevarse a su casa. Lo había olido casi a diario desde que había llegado a la ciudad y, para ella, encerraba una especie de significado mágico. Era sinónimo de belleza e inteligencia. De todo lo inalcanzable que sólo se puede percibir como un aroma.

Era el jabón que su maestra, la señorita Rose Marie Skog, usaba para lavarse las manos.

21

CUANDO Loella hacía su equipaje para volver a casa, vaciando los cajones del armario, encontró en el fondo de uno de ellos dos cosas que le produjeron un sobresalto: la crema para el pelo *Pop-Viril* y el dibujo que había hecho para el *Día del Padre.*

Sintió un dolor corto y agudo, y volvió a recordar todas sus esperanzas y sus desilusiones. Por un momento la invadió un sentimiento de fracaso; pero en seguida se sobrepuso, tiró el tubo a la papelera y, a continuación, el dibujo. Era la noche anterior a su viaje.

Se puso en la boca un chicle, a modo de tónico reconfortante, y siguió preparando febrilmente sus maletas. Cuando Mona entró en la habitación, vio el dibujo en la papelera y lo cogió.

—Oye, niña... ¿Tú has hecho esto?

Loella se volvió con gesto impetuoso.

—Sí. ¡Tíralo inmediatamente!

—Es una pena... ¡Es formidable! Te lo digo de verdad... ¡Una obra de arte!

Loella no contestó. Trajinaba dándole la espalda a Mona, que se sentó en la cama observando el dibujo. Parecía preocupada. Después de unos minutos, dijo:

—Dime, niña... cuando vuelvas a tu casa... ¿con quién vas a vivir? Nunca me lo has dicho. Si este dibujo lo hiciste para tu padre, no deberías tirarlo.

Loella se encogió de hombros y Mona suspiró.

—¿Es un tipo horrible como mi viejo? ¿Y qué pasa con tu madre? ¿Están divorciados?

Hubo un largo silencio hasta que Mona habló de nuevo.

—Está bien... No contestes, si no quieres. Sé lo que fastidian ciertas preguntas. Lo único que me gustaría es saber que vas a pasar un verano estupendo.

—Sí, estoy segura —dijo Loella rápidamente. Y para cambiar de tema preguntó a Mona qué pensaba hacer en las vacaciones.

—Estoy contenta, ¿sabes? Iré a casa de mi tía. Y si mamá arma un lío, no le haremos ni pizca de caso.

Mona le lanzó a Loella una tableta de chocolate de una punta a otra del cuarto.

190

Luego dio un dramático informe acerca de lo que su tía le había dicho por teléfono. Había consultado con su espíritu guardián lo que convenía hacer y el espíritu le había contestado que se ocupara de Mona.

—¿Y a que no adivinas quién es el espíritu guardián de mi tía?

—No sé.

—Piensa... En la escuela nos hablaron de él. Es muy famoso. Viene en el libro de historia.

Loella, cautelosamente, preguntó si era chino o algo por el estilo. No, era muy antiguo, desde luego, pero de esta parte del mundo.

—¿Napoleón?

—¡No! ¡Mucho más poderoso! ¡Nostradamus! Era médico, astrólogo y adivino. ¡Imagínate! Mamá no puede nada contra él.

Loella estaba muy impresionada y a la vez contenta por Mona. Le hubiera dado mucha pena separarse de ella sin saber que las cosas irían bien.

Al día siguiente Loella se levantó muy temprano. Mona estaba durmiendo todavía, pero había prometido ir a despedirla a la estación, alrededor de las once.

Echó un último vistazo a su equipaje para segurarse de que no se le olvidaba nada.

Luego vio el dibujo para el *Día del Padre* que Mona había colocado sobre una silla. Lo cogió para romperlo, pero por alguna razón no pudo decidirse a hacerlo y lo metió rápidamente en su maleta. Mona tenía razón. Era un bonito dibujo.

Cuando salió a la calle, la gente del *Hogar* no se había levantado aún. Era una hermosa mañana. Los últimos días habían sido cada vez más agradables. La ciudad parecía estar preparándose para una gran fiesta. Los árboles y las plantas del jardín estaban cubiertos de flores de brillante colorido.

Las casas de la gran calle comercial no tenían jardines, pero ese día estaban adornadas con banderas. Era el seis de Junio, fiesta nacional sueca.

Las tiendas todavía estaban cerradas y faltaban varias horas hasta que las abrieran. Y la gente dormía. La gente de la ciudad duerme hasta muy tarde, por bueno que sea el tiempo.

Como estaba de excelente humor, Loella fue bailando por la calle en dirección a la plaza.

Estaba vacía; sólo vio a un guardia que le dio la espalda y prosiguió su ronda, con paso tranquilo, hacia el puente.

¡Qué maravilla! ¡Sola en la ciudad, sola en

la plaza! Entre filas de banderas colocadas en altas astas. El sol brillaba y las banderas ondeaban suavemente con la brisa de la mañana. Entonces se le ocurrió algo.

Justo en frente del Ayuntamiento había una antigua y hermosa fuente. La había admirado todos los días, durante las últimas semanas de primavera, pero nunca había tenido la suerte de estar junto a ella a solas. Era lo más notable que había visto en la ciudad. El agua que surgía de la oscura piedra era como plata purísima y sonaba al caer como un coro de campanas.

La fuente había estado silenciosa, como muerta, durante el invierno; pero al llegar la primavera el agua empezó a brotar. Y le pareció que, en la ciudad, esto era igual a lo que sucedía con los arroyos del bosque, cuando llegaba la primavera. Un agua que no estuviera prisionera en cañerías, sino corriendo viva, libremente, era tan poco frecuente allí, que le habían construido un monumento para bailar a su alrededor.

En el bosque Loella celebraba la llegada del buen tiempo bañándose en un arroyo. Ahora se le metió en la cabeza no abandonar la ciudad sin bañarse en la fuente. No era un capricho repentino. Desde la primera vez que la vio había planeado hacerlo.

Miró a un lado y otro. Nadie. Se quitó los zapatos, la falda y la blusa. En bragas y combinación, se zambulló en la fuente.

El agua estaba muy fría. Igual que la de los arroyos del bosque. Era estupendo sentir sobre su cuerpo el chorro plateado.

Había llevado la finísima pastilla de jabón. Se sentó en el borde de la fuente y se enjabonó los pies hasta que se cubrieron de una hermosa espuma. Luego los brazos y la cara. ¡Oh, qué maravilla! ¡Qué exquisito perfume!

Chapoteó en el agua y tomó una ducha poniéndose justo en medio del chorro. Y volvió a enjabonarse. De eso no se cansaba nunca. Por fin se enjuagó, cantando, riendo, dando saltos. Había olvidado por completo que no estaba en el bosque, sino en una plaza, en pleno centro de la ciudad, feliz y chorreando.

Su ropa interior y su pelo estaban empapados. Podía perfectamente estirarse del todo en la fuente y flotar. Ahora estaba justo debajo del chorro y sacudía los brazos como un pajarito mueve las alas cuando se baña.

Recordó la última vez que había imitado a un pájaro, en el tejado de su cabaña, para asustar a Agda Lundkvist y a su marido. Pero entonces era un pájaro triste y ahora era uno lleno de felicidad.

Sí, sentía exactamente como si se estuviera convirtiendo en un pájaro. ¿Acaso no iba a emprender el vuelo? Salió del agua, agitada y temblorosa, y algo la volvió bruscamente a la realidad. La sombra de un pájaro mucho más grande se proyectó sobre ella.

Era el policía. No lo había visto venir y ahora estaba a su lado, mirándola, pero no sintió miedo; sólo la alegría de estar viva. El parecía divertido.

—Chuí, chuí... —dijo Loella, imitando el gorjeo de un pájaro, mientras miraba el uniforme azul.

El policía la observaba como si no pudiera dar crédito a sus ojos. Era imposible saber si estaba enfadado o simplemente sorprendido.

—¡Chuí! —contestó con tono cortante y sarcástico—. Haga el favor de ponerse sus plumas, palomita, y vuele de aquí en seguida. Esto no es un baño público.

Se fijó en el agua de la fuente, que ya no estaba tan límpida como antes, y quitó un poco de espuma que había en el borde, refunfuñando.

Loella se puso de deprisa la blusa y la falda. No resultó agradable, con lo mojada que estaba su ropa interior. Mientras, el policía dijo:

—Un gatito salvaje, eso es lo que eres. Me acuerdo muy bien de ti.

Entonces ella se dio cuenta de que era uno de los guardias de la *Noche de Walpurgis*, el que las había acompañado a Mona y a ella al *Hogar*.

—¿Te vas a pasar todo el verano aquí, poniendo en peligro a la ciudad? —preguntó.

—Hoy mismo me voy a casa —dijo Loella—. ¡Adiós!

—¡Vaya! ¡Una buena noticia! —contestó el policía; pero ya no parecía tan severo.

Loella envolvió la pastilla de jabón en su precioso papel y salió corriendo. El sol calentaba mucho y la ligera brisa secó su cabello y su ropa.

Estaba satisfecha. Había dicho adiós a la ciudad. Podía dejarla sin la menor pena.

Después del desayuno, tía Svea llevó a Loella a la estación en su pequeño coche. Mona iba con ellas. De camino, recogieron a los mellizos en casa de Agda Lundkvist. Ella y su hijo Tommy querían ir también a la estación, pero no cabían en el coche.

Agda Lundkvist estaba desilusionada. Miraba ceñuda a Loella, casi como si la hiciera responsable de que el coche fuera tan pequeño, pero no le dijo nada. Sólo repitió, nerviosamente, que sentía no poder despedirse

196

como hubiera querido de sus *tesoritos*, como llamaba a Rudolph y Conrad.

—Los pobres estarán muy tristes sin mí —añadió, esperanzada.

Pero Rudolph y Conrad no estaban nada tristes. La novedad de la situación los absorbía por completo. Los niños pequeños olvidan fácilmente. Ahora dedicaban todas sus gracias a Mona, que parecía emocionada. Se portaban con Agda Lundkvist, en aquel momento, igual que con Loella cuando abandonaron la cabaña.

Agda Lundkvist lo tomó muy a pecho. Intentaba en vano atraer su atención con mil triquiñuelas. Al ver que no lo conseguía, se echó a llorar recurriendo al apoyo de Tommy.

—Mi pobre hijito... tampoco te hacen caso a ti. Ya no te quieren, Tommy.

Pero Tommy brincaba de aquí para allá, tan regordete y feliz como siempre. ¿De qué hablaba su madre? Naturalmente que los mellizos le querían.

No, nada podía preocupar a Tommy. No dejó de brincar ni siquiera cuando el coche arrancó y su madre escondió la cara en el delantal. Era un niño feliz, como Rudolph y Conrad lo eran también, a su manera. Ahora estaban sentados en las rodillas de Mona, encantados con su pelo rubio, y dándole tirones mientras Mona chillaba y reía a pesar de que tiraban bien fuerte.

Una vez en la estación, Loella dio el pañuelo a tía Svea y los pendientes a Mona. A ella le regalaron un libro de versos elegido por tía Svea, un bolígrafo y un gran paquete de chicles que le compró Mona.

—Tienes para todo el verano —dijo Mona.

Luego se quedaron mudas las tres. Lo que querían decir ya lo habían dicho. Y lo que no se habían dicho, no era momento de decirlo ahora. Se limitaban a repetir las mismas cosas. No había nada que añadir. Todo el mundo ha pasado alguna vez por esta embarazosa situación.

El tren vino a liberarlas de ella. Por fin tenían algo de qué hablar. Corrieron con las maletas a lo largo del andén. Mona llevaba la de Loella, Loella la de los mellizos y tía Svea llevaba a Rudolph y Conrad. Por suerte encontraron un compartimento vacío.

Aunque el viaje no era muy largo, tía Svea les preparó bocadillos y una botella de limonada. Se despidieron. Mona y Loella tenían un nudo en la garganta, pero pretendían disimularlo.

Ahora tía Svea y Mona estaban en el andén y Loella había bajado la ventanilla.

Hablaron vagamente de escribirse, bromeando. Mona aseguró que ella era incapaz; pero Loella le recordó que había prometido preguntar a su tía quién era el espíritu guardián de Loella y al menos para decírselo tendría que escribirle.

—Ya verás cómo es un campeón de carreras —dijo Mona.

—Vendrás a vernos si alguna vez vuelves a la ciudad, ¿no es cierto? —dijo Tía Svea.

Loella contestó sinceramente que no pensaba volver a la ciudad nunca más.

—Bueno... entonces iré yo a verte.

Loella dijo, también sinceramente, que le gustaría mucho. Mona debía ir con ella; pero que no se asustaran del espantapájaros que estaba entre las frambuesas. Lo había hecho sólo para que asustara a... El tren empezó a moverse y tía Svea no oyó lo que Loella estaba diciendo. Ella y Mona corrieron junto al tren.

—¿A quién tiene que asustar? —preguntó tía Svea.

—A mis enemigos.

El tren empezó a ir deprisa. Tía Svea saludaba y sonreía. Pensaba que era una suerte no encontrarse entre los enemigos de Loella.

Mona corría aún junto al tren.

—Te escribiré aunque sea unas líneas

para decirte lo del espíritu. ¡Saluda al espantapájaros de mi parte!

—Abrazos para Maggie...

—Se los daré... ¡Buena suerte, niña!

—Adiós...

Mona y tía Svea estaban cada vez más lejos. Se iban haciendo pequeñas, pequeñas... hasta desaparecer.

Loella subió la ventanilla y se sentó con un niño a cada lado. Cerró los ojos y pensó que había hecho muy bien evitando tomar demasiado cariño a nada ni a nadie en la ciudad; ni siquiera a tía Svea o a la señorita Skog. No le hubiera resultado difícil, pero entonces las cosas hubieran sido más tristes ahora, en el momento de la despedida.

Un segundo después desenvolvía los bocadillos y los tres empezaron a comer con buen apetito.

22

MUCHO antes de llegar a la estación de Mosseryd, Loella y los mellizos ya estaban preparados para bajar. Ella se sentía mucho más contenta de lo que había estado últimamente. Todos sus sentidos estaban despiertos, alerta. Miraba con atención el paisaje que se deslizaba tras la ventanilla y tomó posesión de él.

Un pez fuera del agua: eso había sido ella en la ciudad; pero ahora volvía a su verdadero elemento.

El mundo de la ciudad había sido como un extraño sueño; un sueño bueno, quizás, para haberlo soñado, pero del que era agradable despertar.

Los bosques, a cada lado de las vías, se iban haciendo más densos. Pronto pudo ver la caseta amarilla de la estación. Asomaba en un claro, en medio de la masa verde de los árboles.

El corazón de Loella empezó a latir violentamente. Allá, bajo el viejo tilo, vio a Bella, el caballo de tía Adina, y el carro. Pero no pudo distinguir si el conductor era tío David o el hombre que vivía con Fredrik Olsson. No vio a nadie.

El tren se detuvo y alguien vino hacia ellos. ¡La propia tía Adina! Con su gran sombrero azul. Saltaron del tren directamente a sus brazos.

Tía Adina estaba tan emocionada que al principio no pudo decir ni una palabra; pero un minuto después ya hablaba tanto como de costumbre.

Un empleado bajó las maletas y en seguida el tren se puso en marcha y desapareció en la distancia. Loella se quedó mirándolo. Ahora sólo importaba el presente.

Lo primero que notó fue el increíble, maravilloso silencio que no existía en la ciudad. Había olvidado cuál es el *sonido* del silencio. El sonido del aire y el viento.

Abrió su maleta y sacó la rosa. Dio unos pasos de baile alrededor de tía Adina antes de colocarla en su sombrero azul.

—¡Dios mío! ¡Qué cosa tan bonita! —exclamó tía Adina, mirándose en una de las ventanas de la estación para juzgar el efecto—. Es como si tuviera un sombrero nuevo. Muchas gracias, pequeña.

Loella la observó encantada.

—Estás guapísima.

—¿Quién? ¿Una vieja como yo? —rió tía Adina mientras sujetaba bien la flor en el sombrero—. No... En la ciudad sí que debe de haber gente guapa.

Loella contestó tajantemente:

—¡Qué va! Allí no hay más que... gente de la ciudad.

Montaron al carro. Tía Adina dejó que Loella cogiera las riendas y ella se ocupó de los mellizos. Suspiró, satisfecha.

—Nunca sabrás cuánto he esperado este momento, pequeña... Tanto, que David tuvo que rendirse y dejarme que viniera a buscarte yo misma.

Loella chasqueó la lengua y Bella echó a andar. El carro crujía en su camino a través del hermoso paisaje de verano. El sol brillaba. A cada lado crecía una alfombra de hierba de un verde reluciente y sembrada de flores. El aire estaba lleno de zumbidos y trinos.

Al llegar al pueblo, Loella se puso de pie. Se metió un chicle en la boca y siguió así, bien erguida, para que todo el mundo la viera. Una sonrisa victoriosa jugueteaba en sus labios. No miraba ni a la derecha ni a la izquierda. Pero los demás sí la miraban.

Podía sentir sus ojos sobre ella. Como hacía tan buen tiempo, la gente estaba fuera de sus casas y tía Adina saludaba a cada momento.

Loella llevaba la bonita blusa azul de América y el collar rojo. La miraban con la boca abierta. Chicos y grandes flanqueaban la calle del pueblo. Echó la cabeza hacia atrás y azuzó a Bella. Y oyó comentarios de sorpresa.

—¡Mira! La chica ha vuelto...

—¡Vaya elegancia...!

Pero nada más. Ni una vez aquello de *Loella Malos Pelos.*

Dejaron atrás el pueblo y se adentraron en el camino que llevaba derecho al bosque. El camino de vuelta al hogar. Loella se estremeció. El silencio, las sombras y «una lluvia tranquila de rayos de sol» entre los árboles.

Flor que nace en las estrellas,
ardilla que canta a la luz de la luna...
Iré por el camino que atraviesa el bosque...

Ya estaba en casa, por fin.

Bella trotaba sobre la hierba. Subían una cuesta y las sombras eran cada vez más espesas. Se estaban acercando al matorral de frambuesas y el corazón de Loella empezó a latir violentamente. Recordaba la última vez

204

que había pasado por allí. Era el mismo sitio donde el coche se quedó esperando para llevarla a la ciudad. Y recordaba cómo extendía *Papá Pelerín* los brazos hacia ella para protegerla.

Ya podía ver, un poco más arriba, el matorral. Estaba cubierto de flores. Y en seguida vería a *Papá Pelerín* con los brazos abiertos; pero ahora, para darle la bienvenida.

Miraba, miraba... ¡Ahora debía verlo! Ahora...

¡¡No estaba allí!! ¡¡No estaba en su lugar!!

Sorpresa, decepción y disgusto se reflejaban en su rostro cuando se volvió hacia tía Adina gritando:

—¡Tía Adina! *¡Papá Pelerín* se ha ido!

Tía Adina abrió mucho los ojos y se puso colorada.

—Sí, pequeña. Qué cosa tan rara...

—¡Tú me dijiste en tu carta que seguía estando ahí! ¿Pero qué te pasa? ¿Cómo te puedes reír?

—Oh, no, querida... Estoy segura de no haberme reído. Para mí también es un misterio. David y yo estuvimos aquí hace apenas una semana y estaba en el mismo sitio, tan tieso como siempre...

—Entonces... ¿quién se lo ha llevado?

—¿Cómo quieres que lo sepa? Date una

vuelta y mira... A lo mejor lo ha tumbado el viento.

—Imposible. Estaba muy bien sujeto. Y si aguantó todo el invierno no se iba a caer precisamente ahora. Aquí está pasando algo muy extraño.

Loella detuvo el carro y miró a tía Adina seria e interrogativamente.

—Aquí está pasando algo extrañísimo —repitió.

—No... no lo creo. ¿Dónde tengo las gafas?

La cara de tía Adina estaba más roja aún que antes y tenía una incomprensible expresión. Buscó nerviosamente sus gafas y acabó por encontrarlas en el bolsillo de su vestido. Se las puso con mano temblorosa y escudriñó los matorrales. Loella la observaba con el ceño fruncido. ¿Qué le pasaba? Tía Adina no parecía la misma. Estaba completamente cambiada.

—¡Mira, pequeña! —gritó de repente—. ¡Hay algo entre las matas! ¿Ves? ¡Lo que te estaba diciendo! Tu espantapájaros se ha venido abajo.

Loella miró hacia donde señalaba.

Sí, era verdad. Había algo en ese lugar. Sí, solamente se había caído... Pero aún no comprendía cómo.

—¿No vas a echar una ojeada?

—Sí.

Loella entregó las riendas a tía Adina y bajó de un salto.

—¿Dónde está la llave de la cabaña? Voy para allí con los mellizos y preparo algo de comer mientras tú te ocupas de ese viejo espantapájaros.

—La llave está en el fondo de mi maleta.

Tía Adina chasqueó la lengua vigorosamente para que Bella echara a andar de nuevo y se alejaron. Loella, sorprendida, se quedó mirándolos. ¿Por qué tanta prisa de repente? Por lo general, a tía Adina le gustaba hacer las cosas con calma. ¿Qué le pasaba? Luego lo pensaría. Ahora debía cuidar a *Papá Pelerín*, pobrecito. Lo vio tumbado en el suelo. ¡Vaya manera de recibirla! Corrió hacia el matorral.

Pero al llegar allí se puso terriblemente furiosa. No era *Papá Pelerín*, sino un hombre desconocido el que tomaba el sol, justo en el lugar donde *Papá Pelerín* solía estar firmemente plantado. Y de él, ni rastro. El extranjero hasta se había atrevido a quitarle su sombrero de ala ancha. Lo llevaba puesto, así que no podía negar su delito.

Loella estaba tan encolerizada que tiró el chicle y vociferó con su más tremendo tono:

—Flor venenosa, luna negra, nido de culebras... ¿Está loco o qué? ¿Se puede saber qué hace aquí?

El se limitó a mirarla. Seguía sentado, mirándola con una expresión divertida. Loella dio una patada en el suelo. Estaba tan furiosa que empleaba las palabras que había olvidado en la ciudad. Salían con la fuerza de un torrente de su boca.

—Tiene todo el bosque para usted, si quiere. ¡Pero no el sitio de *Papá Pe...*! ¡No éste sitio! ¿Y dónde ha metido a *Pap...*? Quiero decir, al viejo espantapájaros que estaba aquí. Porque me doy cuenta perfectamente de que usted se lo ha llevado. ¡Así que vaya a buscarlo y tráigalo en seguida! ¡Ahora mismo!

El hombre se puso de pie y abrió los brazos, igual que *Papá Pelerín.*

—¿Qué tal? ¿Lo hago bien? —preguntó.

Fueron las primeras palabras que pronunció. Querría escurrir el bulto haciéndose el gracioso; pero ella lo miró despectivamente y no se dignó contestar.

—¿Crees que puedo espantar a los pájaros? —dijo él.

—Aquí nadie ha querido espantar a los pájaros, sino a la gente, y usted no sirve para eso. ¡Déjese de bromas estúpidas y vaya a buscar a *Pap...* al espantapájaros!

208

El hombre bajó los brazos y se quitó el sombrero. Parecía triste. Dijo que no era agradable descubrir que hasta un espantapájaros valía más que él.

Loella lo miró, desconfiada.

—Me parece que usted está un poco chiflado —dijo, algo más amistosamente—. ¿Qué está haciendo en el bosque?

Entonces él le explicó que había estado viviendo un par de meses con Fredrik Olsson y que el bosque le gustaba. En otros tiempos había tenido allí su casa. Y cuando recibió una carta donde le decían que podía volver, se había puesto muy contento. Aseguró que nada en el mundo le hubiera hecho más feliz que aquella carta.

Ah, sí, pensó Loella. Debía ser aquel hombre que tía Adina mencionara cuando le escribió a la escuela. El que iría a buscarla si los demás no podían. Claro, tenía que ser el mismo. ¿Pero por qué se había llevado a *Papá Pelerín?* Era incomprensible.

Se calmó poco a poco y le preguntó si Fredrik Olsson había recibido el sobre lleno de sellos que ella le había mandado.

—Sí y se alegró mucho. Eran sellos muy bonitos y nada corrientes.

—Sí, ya sé —dijo Loella. Se sentía insegura. No sabía qué hacer en aquella situación.

Ni cómo obligar al hombre a que fuera a buscar a *Papá Pelerín.* Quizás, si supiera lo útil que era para ella y para Fredrik Olsson, lo haría de buena gana.

Por eso empezó a explicarle para qué usaban al espantapájaros: como una especie de mensajero que se ocupaba del correo, los paquetes, la leche y toda clase de cosas. Y que mantenía lejos a los intrusos. Por lo general se detenían y no iban más allá cuando lo veían.

—Sí, ya lo sé —contestó él.

Ella se enfadó de nuevo.

—Entonces, ¿por qué no lo trae? —dijo con firmeza, clavando en él sus relucientes ojos negros.

No contestó en seguida. Iba y venía dando zancadas entre las matas, con aspecto pensativo. Loella aprovechó la oportunidad para examinarlo bien. Era alto, tenía la piel curtida y un pelo muy espeso y negro. Los ojos, marrones, como ya había notado antes. No parecía un delincuente. En aquellos momentos lo que parecía era triste y preocupado.

—¿Cómo llamas a tu espantapájaros? —preguntó.

Loella se sonrojó.

—¿Y a usted qué le importa? —contestó fríamente.

210

—No, nada... —dijo él suspirando. Y siguió hablando como si ella no estuviera allí. Dijo que quizás fuera demasiado tarde. Que quizás él no podría remplazar nunca a un viejo espantapájaros.

Loella lo miraba, pensando que le faltaba un tornillo.

El continuó diciendo que iba a dejar la casa de Fredrik Olsson.

—Tengo una hija y pensé que podría irme a vivir con ella —dijo.

—La echo mucho de menos y me gustaría saber si ella se acuerda de mí alguna vez.

Estas palabras pusieron en guardia a Loella de nuevo. Le hicieron mal efecto. Le recordaban algo que debía olvidar. ¿Qué tenía que ver ella con ese hombre y su hija? Nada, desde luego.

Dio media vuelta y se alejó de él.

—Adiós.

Pero él gritó:

—¡Espera! ¿No quieres saber cómo se llama mi hija?

—No.

—¿Por qué no?

—Porque no es asunto mío.

Loella hacía todo cuando podía por conservar una actitud indiferente. Hablaba con tono frío y cortante, pero aquel tema le resultaba tan doloroso, que en realidad estaba emocionada.

—No estés tan segura —dijo él.

Era demasiado. Loella se paró en seco y se volvió hasta enfrentarse con el hombre. Sus ojos echaban chispas y su voz resonaba como el chasquido de un latigazo.

—Lo que sé —exclamó— es que estoy harta de usted y de su hija. Lo único que me importa es que ponga a *Papá Pelerín* en su sitio... mi espantapájaros para espantar a la gente. ¡Y nada más! ¡Adiós!

Echó a andar. El profundo silencio del bosque la envolvió por completo. Apretó el paso. Entonces oyó una voz a sus espaldas.

—Mi hija se llama Loella... Loella...

Ella siguió andando.

—Su nombre es Loella...

Se volvió y anduvo despacio hacia el hombre sin atreverse a mirarlo. Era como si caminara en sueños. No pensaba nada, pero sus ojos y sus oídos estaban extrañamente alerta. Veía cada insecto en la tierra; se sentía capaz de oír cada paso que dieran en el bosque, cada aliento, cada soplo de viento. Todo se estremecía, lleno de vida, a su alrededor, arriba, abajo. Pero aún no se atrevía a levantar la mirada.

—¿Cómo se llama? —susurró débilmente.

—Loella.

Cuando, por fin, miró al hombre, él estaba de nuevo en el sitio de *Papá Pelerín*, con los brazos abiertos, igual que el espantapájaros.

—¿Lo hago mejor ahora? —preguntó.

Ella no contestó. Todavía no comprendía bien lo que estaba ocurriendo. Tuvo que preguntar otra vez:

—¿Cómo se llama su hija?

—Loella.

Por un momento, vaciló. Tenía que asegurarse de que no estaba inventándose historias. Que no iba a despertarse frente al espejo del *Hogar*. Cerró los ojos, los abrió, los volvió a cerrar. Y los mantuvo cerrados un buen rato. Luego los volvió a abrir. El seguía allí, igual que antes. No era una ilusión. Era real, y al comprobarlo se sintió confusa. Ella, tan fuerte siempre, no sabía qué hacer. Dio una vuelta completa alrededor del hombre, diciendo:

—Yo también me llamo... Loella.

El silencio en el bosque era total. No se oía ni el más pequeño paso ni el más suave aliento. Sólo se oía la voz del hombre.

—Entonces tú debes ser mi hija. Sí, entonces tú *eres* mi hija.

Los árboles y las flores que los rodeaban, los insectos que se deslizaban a sus pies y los pájaros que volaban por el cielo, todos pudieron oír esas palabras: *Entonces tú eres mi hija...*

213

EL BARCO DE VAPOR

SERIE ROJA (a partir de 12 años)